**Boy**
**SŁÓWKA**

# Boy
# SŁÓWKA

**Wydanie nowe
przedmową i komentarzem
opatrzył
dr Tadeusz Żeleński**

WYDAWNICTWO LITERACKIE

Tekst na podstawie wydania Wydawnictwa Literackiego – Kraków 1953,
w opracowaniu Romana Hennela, przypisy pozautorskie Stefana Góry.

ISBN 83-08-00943-3

# OD AUTORA

Kiedy nakładca zwrócił się do mnie z tym, że *Słówka* znowu, jak co parę lat, są na wyczerpaniu i że trzeba pomyśleć o ich przedruku, zafrasowałem się nieco. Uczucie to miałem już przy paru ostatnich wydaniach. Miałem świadomość, że trzeba by coś zrobić, coś przewietrzyć, przebrać, przesiać przez sito, że sporo już w tej książeczce jest rzeczy niezrozumiałych dla publiczności. Ale po namyśle zmieniłem zamiar. Niech zostanie wszystko, jak było: właśnie takie *Słówka,* jak są, mogą być dokumentem chwili, miejsca i okoliczności, które je wydały i od których nie da się ich oderwać. Raczej należałoby opatrzyć rzecz jakimś komentarzem, mniej lub więcej historycznym. Tak szybko życie nasze zmienia się dziś w historię... Sposobność nastręcza się bodaj i dlatego, że wydanie niniejsze schodzi się z datą jubileuszową, a wszak jubileusze to moja słabość. W jesieni 1930 upłynęło dwadzieścia pięć lat od powstania ,,Zielonego Balonika''. Wprawdzie *Słówka* to nie ,,Zielony Balonik'' – w każdym razie nie całe *Słówka* – ale geneza ich ściśle z tą wesołą instytucją związana.

Kusiłoby mnie tu napisać monografię tego pierwszego ,,kabaretu'' artystów, ale na to nie starczy miejsca. Trzeba by wprzódy podjąć to, co – bardzo szkicowo, co prawda – czyniłem* gdzie indziej: podmalować tło dawnego Krakowa, tej jedynej w swoim rodzaju maleńkiej stolicy; pokazać te stare mury, te wąskie ulice, jesienią i zimą tonące w lepkim błocie, licho oświetlone, wczesnym wieczorem puste, bez ruchu, nie dające żadnej strawy młodzieńczemu głodowi wrażeń: nabożeństwa majowe i pasterki w mrocznych, przesyconych zapachem kadzideł kościołach jako surogat erotycznych przeżyć; dewocje, sodalicje, sutanny, św. Wincenty à Paulo, matrony o

---

* *Brewerie, Ludzie żywi, Plotki, plotki..., Pijane dziecko we mgle, Marzenie i pysk. Słowa cienkie i grube, Znaszli ten kraj?...*

5

tłustych lub kościstych rękach, czarne mantyle, dobroczynne hrabiny z ich cudzoziemską polszczyzną, a często polską francuszczyzną, więdnące pannice w oczekiwaniu na męża, latami oprowadzane przez matki „po Plantach"; obchody, pogrzeby, linia A–B, lejtnanci, handelki, pilzner i bryndza, bryndza, bryndza...

W tym historycznym mieście wszystko było historyczne. Gdy w Warszawie wrzała walka około pozytywizmu i postępu, w Krakowie terenem jej były retrospektywne spory o rok 1863. Na obchody jedni kładli kontusze, drudzy przeciwstawiali im czamary. Gdy w kościele ci intonowali *Boże, coś Polskę,* tamci przekrzykiwali ich śpiewem *Z dymem pożarów.* Ale nam, malcom, wszyscy kazali śpiewać „Przy Cesarzu mile włada Cesarzowa pełna łask..."

Mówię tu oczywiście o bardzo dawnym Krakowie, z epoki mojej ławy szkolnej; a mówię o nim dlatego, że ta rozpaczliwa młodość zaciążyła na całej naszej generacji. Szkoła trzymała nas zresztą jak pod brudnym kloszem, spod którego nie widziało się świata. Nie dawała nic, nawet tego ucisku, który rodzi bunt i mocne podziemne życie. Ot, rośliśmy, młodzi durnie, kując gramatykę i stękając *Odę do młodości.* Jako wyżycie się fizyczne – ślizgawka kilkanaście razy do roku; jako nasycenie romantycznego głodu – przyglądanie się „facetkom" wychodzącym w niedzielę ze mszy u Kapucynów.

Było coś chorowitego w ówczesnym Krakowie, z jego nienaturalnie rozdętą głową na maleńkim korpusie. Można by ówczesny jego symbol widzieć w anachronicznie „hetmańskiej" głowie na małym ciałku hrabiego Stanisława Tarnowskiego, wielokrotnego rektora uniwersytetu i prezesa Akademii. Ten papież dawnego Krakowa trzymał rękę na wszystkim i wszystko naginał do katechizmu grzecznych dzieci: profesor literatury, który później jeszcze, w epoce Przybyszewskiego, Wyspiańskiego, Kasprowicza, dąsał się na nich, przeciwstawiając im Rydla; któremu Litka z *Rodziny Połanieckich* wydawała się nie dość dobrze wychowana; który po ukazaniu się tomu poezyj Kazimierza Tetmajera pytał w

„Przeglądzie Polskim": „Co by powiedział pan Tetmajer, gdyby ktoś, przejąwszy się jego hasłami, oblał naftą kościół Mariacki i podpalił?" Zabawna figura, powie ktoś. Ale wówczas to nie było zabawne. Bo koteria, której szczytowym punktem był „Szlak" (pałac Tarnowskiego), skupiała całkowitą i bezwzględną władzę. Miała nieoficjalny wpływ na „rząd", którego każdorazowy „delegat" był na jej usługi; obsadzała urzędy starostów; miała mandaty poselskie dzięki systemowi kurialnemu; miała w ręku Wydział Krajowy i Radę Szkolną; kler i banki; „Floriankę" i „Zachętę"; miała wpływ na wszystkie instytucje, obsadzała swoimi ludźmi uniwersytet, trzymała za łeb Akademię i wszystko, co się z nią wiązało w postaci nagród, stypendiów, podróży. Dla grzecznych dzieci były wszystkie ciasteczka, krnąbrnym groził absolutny post.

Dodajmy do tego osobisty *prestige* tej kasty. W maleńkim Krakowie, który w epoce, gdy ja chodziłem do szkół, miał mało co ponad 50 000 mieszkańców, nie było przemysłu, handlu, finansów; nie było nic, co by się mogło przeciwstawić tej sile społecznej. „Arystokracja" – często dość samozwańcza – była zarazem plutokracją w tym ubożuchnym mieście; ona bywała za granicą, znała świat, miała powozy, strojne kobiety, salony. Miała w swoich najlepszych egzemplarzach rzetelną kulturę; ich malował Matejko, im przygrywała księżna Czartoryska, uczennica Szopena, ich bawił dowcipem znakomity Kazimierz Morawski, dla nich błaznował niewysłowiony ksiądz Pawlicki. Tak więc kasta ta miała wszystkie środki władania duszami i nigdy może władza nie była tak kompletna. Bo cóż mogło przeciwstawić tylu splendorom zahukane „miasto"? Chyba pocieszną bałucczyznę swoich „domów otwartych"...

Nie chcę tu popełniać niesprawiedliwości. Bardzo być może, że ówczesny Kraków nie byłby się mógł zdobyć na nic innego i że byłby jeszcze mizerniejszą mieściną bez tej „śmietanki", w której pływało zresztą kilkunastu istotnie wartościowych ludzi. Ale faktem jest, że ta przewaga, w połączeniu z wpływami Tow. Jezusowego, zanurzała ów dawny Kraków w letniej wodzie „dobrze myślącej" martwoty. To była epoka, w której dosłownie nie było młodzieży, w której dwudziestoparoletni ludzie byli rozsądni, ograniczeni i – mierni.

To wszystko trzeba by pokazać. Trzeba by dalej w owym szkicu nakreślić, jak w owej martwocie zbudziło się nowe życie: jak wtargnęło w ten cichy pański folwarczek, jak nastała nagle doba „renesansu", jak nagle Kraków stał się miastem, na które zwróciły się oczy całej Polski. Teatr, malarstwo, rzeźba, literatura, polityka, cyganeria... Szczęśliwym zbiegiem zeszło się kilka faktów, spotkało się kilka indywidualności. Otwarcie nowego teatru. Pawlikowski. Przemiany w szkole sztuk pięknych i napływ nowych sił (zwłaszcza Stanisławski); przyjazd Przybyszewskiego w momencie przesilenia w założonym przez Ludwika Szczepańskiego i Gabrielę Zapolską „Życiu"; wreszcie Wyspiański. Z drugiej strony, na innej płaszczyźnie, działy się znamienne rzeczy: pierwsze procesy polityczne młodzieży o socjalizm (a także „o symbolizm i dekadentyzm, i inne prądy wywrotowe", jak brzmiał w jednym takim procesie prokuratorski akt oskarżenia), potem Daszyński, młody walczący socjalizm, odświeżający stęchliznę galicyjskiej polityki. Zarazem coraz gęściej napływał do Krakowa element młodzieży zmuszony opuszczać Warszawę, co – zwłaszcza w r. 1905 – stało się masowym zjawiskiem.

Rzecz osobliwa: właśnie w tym dramatycznym roku 1905 powstał „Zielony Balonik". Przypadek? Nie sądzę. Mimo że wyda się to paradoksem, bardzo być może, że właśnie ów dreszcz, jaki wznieciły wypadki warszawskie, spowodował tę nieoczekiwaną reakcję. *Blut ist ein ganz besondrer Saft*, jak powiada Goethe. Jedna tylko istnieje rzecz stała: energia; natomiast transmisje jej i wędrówki podlegają najosobliwszym kaprysom.

„Zielony Balonik" był „kropką nad „i" przeobrażenia starego Krakowa; był niby ową małą farsą, jaką niegdyś w dawnym teatrze dawano po pięcioaktowej dramie. Czerpał soki z wszystkich owych spraw, które się rozegrały w artystycznym światku Krakowa w poprzedzającym go dziesięcioleciu.

Znamienną rzeczą jest, że „Zielony Balonik" był pierwotnie pochodzenia malarskiego raczej niż literackiego, narodził się przy „stoliku malarskim" w kawiarence opodal Akademii Sztuk Pięknych. Bo też przemiana, która się dokonała w świecie malarskim, była najbardziej dotykalna. Przedtem, na schyłku życia Matejki, panował w tej uczelni malarskiej też swojego rodzaju terror, terror genialnej, ale zamkniętej w sobie indywidualności. Gdy z Zachodu szły już nowinki o „plenerze", słońcu, impresjonizmie, w szkole były wciąż gipsy i draperie, i historyczne „kobyły" epigonów Matejki. Ci, którzy rwali się do pejzażu, do natury, kryć się niemal musieli przed Mistrzem. Naraz – zupełna odmiana. Słońce i powietrze w miejscu brudnych pracownianych „sosów": zamiast Monachium – Paryż, koleżeńska swoboda zamiast dystansu i respektu.

Paryż! To czarodziejskie miasto coraz bardziej stawało się wówczas celem tęsknot. Przedtem, gdy malarze jeździli nagminnie do Monachium, intelektualiści wędrowali do Lipska, do Berlina, do Heidelberga. Bohater Kisielewskiego *W sieci* marzy o... Zurychu, ale sam Kisielewski w parę lat potem przybywa do Krakowa już z Paryża. Coraz więcej młodych tam śpieszy. Czy nie z Paryża, tego buntowniczego miasta, powiała na Kraków szczęśliwa fala nieuszanowania?

Tak powstał „Zielony Balonik". Nie będę tu powtarzał tego, co gdzie indziej opowiadano o organizacji tego „kabaretu" i jego dość nielicznych zresztą manifestacjach, które w ciągu kilku lat odbywały się, zachowując charakter raczej towarzyski niż widowiskowy. Nie było tam właściwie ścisłego rozdziału między estradą a salą, między dostawcami a odbiorcami zabawy; piosenkarz bywał nieraz redaktorem intencyj całej grupy. Gdyby obecny jubileusz „Zielonego Balonika" mógł zgromadzić wszystkich jego weteranów, zasiadłoby u stołu kilku dzisiejszych dyrektorów teatru, kilku czołowych publicystów, sporo wybitnych ludzi w różnym zakresie, no i zatrzęsienie tęgich malarzy i rzeźbiarzy, dziś profesorów, laureatów. Ta mała, setkę osób zaledwie licząca salka „Jamy Michalikowej" była naładowana elektrycznością. Było coś radosnego w tej maleńkiej biesiadzie wszystkich sztuk, w tym misterium duchowej wolności, było jakieś zbawcze odprężenie dziesiątków lat zakrzepłej żałoby, frazesu, celebry, załgania. Toteż ten wybuch śmiechu, jaki poszedł na całą Polskę, miał energię większą, niżby pozwalał wnosić drobny krąg zdarzeń, z których się urodził. Bo oto minęło ćwierć wieku, a wciąż jeszcze zdaje się, że to ten nabój śmiechu raz po raz eksploduje. Ile i jak oddziałał na formy naszego nowego życia, nie moją rzeczą robić tego bilans; może bardziej, niż się niejednemu buchalterowi literatury wydaje.

I „Balonik" nie uniknął wszakże tego losu, który groził wszelkim krakowskim poczynaniom: znów ta duża głowa na małym tułowiu! Wszystko można było w Krakowie zmienić, ale nie to, aby przestał być małym, zabiedzonym miasteczkiem, w którym się „nic nie działo". Mieliśmy ostre zęby, nie bardzo mieliśmy co gryźć. Ówczesne życie galicyjskie było tak mizerne... To, co było w sferze teatru, sztuki, literatury, ogryźliśmy do kostki. Zbiorowy a bezinteresowny wysiłek zmontowania – na raz jeden, bo każdy wieczór był tam premierą! – nowego programu przychodził organizatorom coraz ciężej, wieczory „Balonika" stawały się co rok rzadsze.

Co do mnie, odczuwałem to bardzo dotkliwie. Miałem już trzydziestkę, kiedy zabłąkałem się do „Balonika"; byłem od lat kilku lekarzem, asystentem kliniki, mordowałem się nad pracą habilitacyjną, jako że szanujący się człowiek nie mógł zostać w Krakowie czym innym jak profesorem uniwersytetu. Gdyby nie „Balonik", męczyłbym się z pewnością całe życie w fałszywie obranym zawodzie, nigdy nie dowiedziałbym się o swym istotnym powołaniu. Ale od czasu, jak mnie ono nawiedziło, męczyłem się inaczej. Byłem jak mamka, która ma za dużo pokarmu. Wstrzymany tak długo zmysł pisania rozpierał mnie; skąpe okazje wieczorów „Balonika" nie zaspokajały go, pisać zaś wiersze tak, bez okazji, jakoś mi było głupio. Stary koń, lekarz, asystent kliniki... To mnie pchnęło w dwóch kierunkach. Z jednej strony instynktem samozachowawczym zwróciłem się ku przekładom, które zaspokajały bodaj formalną potrzebę tworzenia. Polski Molier, Villon, Rabelais wyszli najzupełniej z ducha „Zielonego Balonika". Z drugiej strony zaczęły się lęgnąć we mnie wiersze jakieś inne, bardziej osobiste, których wydawanie na świat połączone było z pogwałceniem wrodzonej mi wstydliwości ducha. To są te inne *Słówka,* nie kabaretowe, zabłąkane tu między innymi, zahukane i cokolwiek onieśmielone tym towarzystwem. Mało też kto je zauważył... Ale to uczucie zawstydzenia stawało mi się coraz bardziej przykre, tak że w końcu zacząłem się bronić tym napadom. Niebawem przemiana warunków naszego życia otworzyła nowe możliwości i dała mi możność wypowiadania się w sposób nie tak upokarzający, jak pisanie wierszy. *Słówka* się skończyły.

Poza tym nie wydaje mi się, abym się odmienił zbytnio. Sposób, w jaki tymi *Słówkami* ćwierć wieku temu na ciemnym rogu ulicy Floriańskiej poznałem się z literaturą, wycisnął piętno na całej mojej karierze literackiej. Jak wówczas, tak i dziś jeszcze wszystko wydaje mi się w niej zabawną i niespodzianą przygodą. I tak samo, jak po pierwszym tomie moich wierszyków czytałem w pierwszej w ogóle, jaką miałem w życiu, „recenzji" takie dusery, jak „znikczemniały drab" – „zwyrodniały głuptas" – „szarganie świętości", tak samo czytuję mniej więcej to samo i dziś. Tylko już za co innego: *Słówka* stały się tymczasem nietykalne, czcigodne, weszły niemal w program szkolny. Niechże ten krótki komentarz naukowy posłuży kochanym malcom, pocącym się nad wypracowaniem: *„Słówka" Boya na tle epoki,* albo: *Krzywa humoru Boya na zasadzie chronologii „Słówek".*

Nie poprzestając na tym ogólnym komentarzu, umieściłem na końcu tomu przypisy z objaśnieniem zawilszych miejsc tekstu. Nie taję, iż sporządzenie tych przypisów nie przyszło mi bez trudności; wielokrotnie dawał mi się we znaki mój niedostatek metody naukowej. Starałem się robić jak najlepiej; jako niedościgły wzór przyświecał mi ów znakomity profesor-polonista, który (kilkanaście lat temu) w ,,krytycznym'' wydaniu dzieł Słowackiego wiersz z *Grobu Agamemnona* ,,tu cząbry smutne gór spalonych pachną'' opatrzył następującym objaśnieniem: ,,Comber – pieczeń sarnia lub cielęca''. Było z tego dużo śmiechu; ostatecznie trzeba było wycofać tom z obiegu i przedrukować kartkę. Temu to królowi mimowolnych humorystów naukowych niniejsze pierwsze ,,krytyczne'' wydanie *Słówek* poświęcam.

**Warszawa, grudzień 1930.**

# Różne wierszyki

# SŁÓWKA

Gdy coś mnie nadto wzruszy
Lub serce mi podrażni,
Chowam się po uszy
Do swojej wyobraźni.

Tam o każdziutkiej porze
Schronienie mam zaciszne,
Gdzie myśl wyprawiać może
Przeróżne rzeczy śmiszne.

Miast czerpać próżną chwałę
W tym, że jak z książki gada,
W głupiutkie słówka małe
Calutka się rozpada.

Te słówka mi uciechy
Sprawiają nieraz mnóstwo,
Lubię ich puste śmiechy
I ducha ich ubóstwo.

Jak błazenkowie mali
Słówko się z słówkiem cacka,
To język mu wywali,
To szczypnie je znienacka.

Jedno przez drugie hasa
Wydając kwik wesoły
Niby dzieciaków masa,
Gdy wyrwie się ze szkoły.

Jednemu w tej pogoni
Pąsem nabiegną lice,
Gdy żywszy ruch odsłoni
Młodziutkich płci różnice;

Inne, troszeczkę z boku,
Przystanie gdzieś nieśmiele
I stoi z mgiełką w oku
Jak zadumane cielę;

Te dwa, w pustocie nowej,
Objęły się przyjemnie
I same w rym gotowy
Splatają się beze mnie;

Ja patrzę na niewinne
Figielki miłych dziatek
I wolę niźli inne
Ten mały własny światek...


# O BARDZO NIEGRZECZNEJ LITERATURZE POLSKIEJ I JEJ STRAPIONEJ CIOTCE

*J. E. Prof. Dr Hr. St. Tarnowskiemu poświęcam*


I

Pełna gracji, zacna, słodka,
Żyła sobie stara ciotka.
Bez zbytków, lecz i bez braku
Miała swój domek na Szlaku.
Oprócz cnót rozlicznych wieńca
Hodowała też siostrzeńca.
Brzydki chłopiec, z krzywą buzią,
Zwał się – dajmy na to – Józio.
Ciotka była panną czystą,
A Józio był modernistą.
(Modernista – znaczy chłopak,

Co wszystko robi na opak;
Każdego się głupstwa czepi,
A zawsze chce wiedzieć lepiej.)
Z tym smarkaczem ciotka stara
Miała strapień co niemiara.
Zawsze jej czymś umiał dopiec,
Taki już był brzydki chłopiec.
Próżno ciotka mu wymienia
Albo Lucka, albo Henia,
Co ich przykład wszystkim świeci,
Jako grzecznych, dobrych dzieci;
On rozeprze się wygodnie,
Obie ręce włoży w spodnie,
Śmieje się i kiwa głową,
Jakby mówił: „Gadaj zdrowo!"


II

To rzecz nie do uwierzenia,
Co on ma za przywidzenia!
Czasem coś bez sensu maże
i mówi, że to w i t r a ż e.
To znów wieczór biega nago
I rozbija wszystkich lagą.
Ciotka krzyczy: „*Joseph! arrête!*"
A on: „Ciociu, to kabaret!"
Wszystkie meble w domu psuje:
Mówi, że sztukę s t o s u j e.
Wszędzie wlezie, wszędzie dotrze,
Deprawuje dzieci młodsze.
To rzecz w Polsce niesłychana:
Nie chcą wierzyć już w bociana!
Kiedyś wpada mała Hanka:
„Ciociu, jestem r o t o m a n k a" –
„Któż cię tak nauczył?!" – „Józio" –

Mówi z rozpaloną buzią.
„A ja – sepleni Ludwiczka –
Jestem święta pla-samiczka".
Chociaż zwykle dobra, słodka,
Zawyła ze zgrozy ciotka:
Raziła ją na kształt gromu
Taka hańba w polskim domu!

III

Czasem dobra ciotka woła:
„Usiądźcie, dzieci, dokoła,
Powiem wam o dawnych dziejach,
O hetmanach, kaznodziejach,
Potem każde z was wymieni,
Którego najwyżej ceni".
A Józio ze śmiechu kona
I krzyczy: „Ciociu! Kambrona!"

IV

Czasem, najwięcej w poście,
Przychodzą do ciotki goście.
„Józiu, przywitaj się z panem!
Co ty tam za parawanem?!
Wyłaź stamtąd, puść Haneczkę
I powiedz gościom bajeczkę".
Wylazł Józio, głową kiwa:
I w te słowa się odzywa:
    „Bajeczka pana Jachowicza.
Staś na sukni zrobił plamę,
Oblał bowiem ponczem mamę;
A widząc ją w srogim gniewie,
Jak przepraszać, sam już nie wie.

Plama głupstwo – mama doda –
Ale ponczu, ponczu szkoda!"
Skończył Józio, gość się śmieje,
A ciotkę wnet krew zaleje:
Biedaczka dostała mdłości
i ze wstydu, i ze złości.
Tak ten niegodziwy chłopiec
Zawsze ciotce umiał dopiec.


V

Tak się trapi dobra ciotka,
Pełna gracji, zacna, słodka,
Lecz największą ma subiekcję,
Gdy rozpocznie z Józiem lekcję.
Dojdźże ładu'z taką głową:
Zawsze ma ostatnie słowo!
Ciotka prawi o *Trzech psalmach,*
Józio o ,,tańczących palmach";
Ciotka mu o apostołach,
On jej o spermatozoach;
Ciotka uczy, kto był G a l l u s,
On powiada: ,,Ciociu, Phallus!"
Ciotka znów z innego wątku
Baje o świata początku,
Józio się ząb za ząb kłóci,
Że świat cały powstał z CHUCI.
(Mruknie ciotka w pasji szewskiej:
,,Wciąż ten łajdak Przybyszewski!").
Ciotka znów o ideałach –
Józio: ,,Ciociu, co to wałach?"
Taką ciotka ma subiekcję,
Gdy rozpocznie z Józiem lekcję.

VI

Kiedy wieczór już zapada,
Ciotka do snu się układa:
„Józiu! Zostaw ten rozporek
I chodź odmówić paciorek.
Niech Józio przy łóżku klęknie
I powtarza głośno, pięknie:
«Boziu, usłysz głos chłopczyny,
Odpuść s y n ó w  naszych winy!
Polska cię na pomoc woła!
Niech tradycji i Kościoła
Pozostanie sługą wierną!
Erotyzmem ni m o d e r n ą
Niech się naród ten nie spodli!»
Teraz Józio się pomodli
Za mamusię, za tatusia,
Potem grzecznie się wysiusia
I spokojnie, cicho zaśnie".
Brzydki chłopak mruknął: „Właśnie!"

Pisane w r. 1907


ACH! CO ZA PRZEŚLICZNE ABECADŁO!
(Fragment zamierzonego dzieła)


**Bb**


Barbara się bawiła z bernardynem bardzo,
Lecz że taką zabawą zacni ludzie gardzą,
Teraz każde z osobna winy swoje maże:
Bernardyn beczy Bogu, a bęben Barbarze.


19

## Cc

Certował się co nocy z Cecylią Celestyn,
Z ilu dań ma się składać ich miłosny festyn;
Dziś błąd swój poniewczasie pojmować zaczyna
Cesia, całując chłodne ciało Celestyna.

## Dd

Długą dyskusję z durniem dorzeczna Dorota
Wiodła, co jest ważniejsze, czy miłość, czy cnota;
Tymczasem się ściemniło: gdy weszli rodzice,
W dłoniach durnia dostrzegli Dorotę dziewicę.

## Ee

Ekscytowała Edzia eteryczna Emma,
Iż przewrotnej miłości chce poznać *dilemma*:
Póty się naprzykrzała, aż wreszcie znudzony
Edward ewakuował Emmy edredony.

## DZIADZIO

Raz maleńka Fryderyka
Miała dziadzię tabetyka.
A że stąpał dość niezdarnie,
Dziecię pusty śmiech ogarnie.

„Przestań – rzecze jej na to staruszek łagodnie –
I ja biegałem niegdyś żwawo i swobodnie;
A że mi dziś chodzenie idzie jak po grudzie,
To dlatego, żem w pracy żył ciężkiej i trudzie".

Dobre dziecię, zawstydzone,
Poszło płakać aż na stronę;
Odtąd zawsze w czci głębokiej
Podpierało starca kroki.

Pamiętajcie, drogie dziatki,
Nie żartować z ojca, matki,
Bo paraliż postępowy
Najzacniejsze trafia głowy.


## TETRALOGIA Z KAJETU PENSJONARKI

### I. STEFANIA
(Powieść psychologiczna)

Kto poznał panią Stefanią,
Ten wolał od innych pań ją.

Coś w niej już takiego było,
Że popatrzyć na nią miło.

Oczy miała jak bławatki
I na sobie ładne szmatki.

Chociaż to rzecz dosyć trudna,
Zawsze była bardzo schludna.

Aż mówił każdy przechodzień:
„Ta się musi kąpać co dzień".

Choć męża miała filistra,
W innych rzeczach była bystra.

Jeździła aż do Abacji
Po temat do konwersacji.

Prócz tego natura szczodra
Dała jej b. ładne biodra.

Raz ją poznał jeden malarz,
Który częst pijał alasz.

Jak ją zobaczył na fiksie,
Zaraz w niej zakochał w mig się.

Miała w uszach wielki topaz
I była wycięta po pas.

Przedtem widział różne panie,
Ale zawsze były tanie.

I do swego interesu
Miały dosyć podłe desu.

Strasznie się zapalił do niej,
Wszędzie za Stefanią goni.

Miał kolorową koszulę
I przemawiał bardzo czule.

Żeby dała mu natchnienie.
Ale ona mówi, że nie.

Że umi kochać bez granic,
Ale to tyż było na nic.

Potem jej mówił na raucie:
„Dałbym życie, żebym miał cię".

Jak zobaczył, że nie sposób,
Poszedł znów do tamtych osób.

Ale już zaraz za bramą
Mówił, że to nie to samo.

Takiej dostał dziwnej manii,
Że chciał tylko od Stefanii.

Bo to zawsze jest najgłupsze,
Kiedy się kto przy czym uprze.

Mówili mu przyjaciele:
„Czemu jesteś takie ciele?

Z kobietami trzeba twardo,
A nie cackać się z pulardą".

Więc jej zaczął szarpać suknie:
A ta jak na niego fuknie.

Wtedy całkiem stracił humor
I upijał się na umor.

Potem do Stefanii lubej
List napisał dosyć gruby.

Że to będzie znakomicie,
Jak sobie odbierze życie.

A ona myślała chytrze:
„To by było nie najbrzydsze".

Lecz jak przyszło co do czego,
Jakoś nic nie było z tego.

Potem znowu za lat kilka
Przyszła na nią taka chwilka.

I myślała, czy to warto
Było być taką upartą.

Lecz tymczasem mu wychłódło,
Bo już była stare pudło.

Tak to ludzie trwonią lata,
Że nie są jak brat dla brata.

Z tym największy jest ambaras,
Żeby dwoje chciało naraz.

## 2. ERNESTYNKA
(Powieść obyczajowa)

Druga znów była dziewczynka,
A zwała się Ernestynka.
Jeden miała smutek wielki,
Bo ojciec robił serdelki.
A przeciwnie, za to ona
Była bardzo wykształcona.
Wciąż czytała, co się zmieści,
Śliczne francuskie powieści.
Mówili o niej bógwico,
Że jest tylko półdziewicą.
Nie każda jest taka święta,
Żeby zaraz mieć bliźnięta.
Raz ją ojciec przez to złapał,
Bo jej narzeczony chrapał.
Straszny krzyk się zrobił w domu,
Że tak czynią po kryjomu.
Każdy wrzeszczał o czym innym
Jak zwykle w życiu rodzinnym.
Ojciec najgorsze wyrazy
Powtarzał po kilka razy.
Ona płakała cichutko,

Bo ją przy tym kopnął w udko.
A potem jeszcze jej ostro
Zakazał bawić się z siostrą,
Że się taka sama świnka
Zrobi jak ta Ernestynka.
Z książkami tyż była heca:
Wszystkie powrzucał do pieca,
Choć sam nie wiedział, dlaczego,
Co ma jedno do drugiego.
W końcu ustały te krzyki,
Poszedł rano do fabryki.
Na co człowiek się naraża,
Kiedy ojca ma masarza.

### 3. FRANIO
(Powieść dydaktyczna)

Franio był to chłopiec mały,
Ale był bardzo nieśmiały,
Lubił widzieć u siostrzyczki,
Kiedy zdejmuje spódniczki.
Zaraz robił się niebieski
I w oczach miał rzewne łezki.
Aż mówiła dobra niania:
„Żeby szlag nie trafił Frania".
Albo się w kąpieli śmiała:
„Tobie by się żona zdała".
A on patrzył, przestraszony,
Bo nie był uświadomiony.
Naradził się Tato z Mamą,
I Babunia tyż to samo,
Że to już ostatnia pora
Zawieźć Frania do doktora.
Doktor zaraz wziął trzy ruble
I kazał go moczyć w kuble.
Powiedział, że to dziedziczne

Cierpienie psychofizyczne.
I że mu to przejdzie z wiekiem,
Jak będzie dużym człowiekiem.

Złe sobie daje świadectwo,
Gdy kto wyszydza kalectwo.

#### 4. LUDMIŁA
(Powieść fantastyczna)

Inna znów dziewczynka była,
A wołali ją Ludmiła.
Mimo dość tłustego cielska
Była bardzo marzycielska.
Często śniło się jej w nocy,
Że ją Rycerz miał w swej mocy,
A ona z wielką ochotą
Uwieńczała go swą cnotą
I w sympatii doń miotała
Duże kształty swego ciała.
Nikt na palcach nie policzy,
Ile miała z tym słodyczy.
Jednej nocy, bawiąc wspólnie,
Rycerz czuły był szczególnie.
Ciągle mówił: „Ach! Ludmiło!"
(Niby tak się to jej śniło.)
Wciąż mężniej sobie poczynał,
Aż łóżko wpadło w Urynał.

Oto jak nas, biednych ludzi,
Rzeczywistość ze snu budzi.

26

# Z NASTROJÓW WIOSENNYCH

Nie masz nic milszego ponad
Ciągnący żeński pensjonat.

Sunie sznurkiem przez plantacje,
W ciszy, z wolna, uroczyście –
Zielono, pachną akacje,
Słońce gzi się poprzez liście – –

Ciągnie podwójny sznureczek
Takich przemiłych owieczek.

Cieplutko, wiosna, południe,
Ławeczka, próżniactwo boskie,
Myśli rozigrane cudnie
W jakieś koziołki szelmoskie – –

Idą: duża, mniejsza, mała,
Kobiecości gama cała.

Ptaszek ćwierka gdzieś tam z góry
Swoich liryk „pierwszą serię”,
Zapoznanych serc tortury
I celibatu mizerie – –

Pod kapotką granatową
Rysuje się to i owo.

„W rytm melodii jakiejś sennej
Kołyszą się stare drzewa,
Płynie falą dech wiosenny,
W sercu puka coś, coś śpiewa – –”

Ta mała mogłaby troszkę
Obciągnąć sobie pończoszkę...

Jakiś czar nie znany jeszcze,
Jakieś czucia wiotkie, śliczne –
Jakieś dziwne w piersiach dreszcze,
Pan i pani-teistyczne – –

. . . . . . . . . . . . . . . . . . . . . . . . . . . . . .

Czy to nie znaczy przypadkiem,
Że czas mi już zostać dziadkiem?...


NASZYM HYMENOGRAFOMANOM

Literacki nasz ogródek
Pachnie wśród księgarskich półek
Wonią mirtów, niezabudek
I przeróżnych innych ziółek.

Te inspekta czyste, ładne,
Co od rosy lśnią porannej,
To królestwo samowładne
Legendarnej polskiej panny.

Dla Niej, dla tej jasnej wróżki,
Nasi geniusze się trudzą,
Aby mogła do poduszki
Ubrać się w poezję – cudzą.

Przez Nią, za Nią, dla Niej, od Niej
Wszystko bierze swój początek,
Od HYMENU jej „pochodni"
Natchnień się rozpala wątek.

W prochu wielbi nasza małość
Dziewiczości Arcy-statut:

Panieńskiego... wdzięczku całość,
To najwyższy Stwórcy atut!

Póki tej ozdoby swojej
Nie uroni dumna Polka,
Póty małe czółko stroi
Wszechpotęgi aureolka;

Tłumów, co jej żebrzą łaski,
Brzmi w powiastkach naszych lament,
Tak czarowne rzuca blaski
Anatomii cenny diament;

Gdzie otworzyć, tam się miele
Jedną życia wciąż zawiłość:
Jak i kiedy polskie ciele
Swojskiej gęsi zyska miłość...

Musisz poznać naszej Czystej
Papę, mamę, cały dom jej,
W końcu służyć do asysty
Przy niewinnej tej sodomii.

Lecz gdy klejnot swój postrada,
Pożegnajmy się z nią smutni;
Ach, po trzykroć takiej biada,
Zmarła już dla polskiej lutni!

Wszystko pierzchło, wszystko znikło.
Jakby trumnę już zabito:
Idzie życia ścieżką zwykłą
Już w kompletnym inkognito.

Co wyrośnie z małej gąski,
Która z tak krzykliwą pychą
Wpływa w życia strumyk wąski,
O tym w naszych księgach cicho;

Nasi piewcy idealni
Ignorują światek ciasny,
Co się kręci wśród sypialni,
Czasem cudzej, czasem własnej...

Gdy już hukną wielkim głosem:
„Zdrowie zacnej młodej pary!"
Któż by się tam troszczył losem
Krajowej Madam Bovary...

Rzucona z takim hałasem,
Jak tam plącze się zagadka?...
Jakieś echa tylko czasem
Nas dochodzą: żona... matka...

Aż po lat przydługiej serii
Znowu ją sadowią na tron,
Gdzie ozdobą jest galerii
Legendarnych polskich matron.

Pisane w r. 1908

## LITANIA KU CZCI P.T. MATRONY KRAKOWSKIEJ

### Inwokacja

Dostojna Pani! Sporo lat już mija, jak słucham potulnie i cierpliwie potoków Twej wymowy; racz więc przymknąć teraz na chwilę Twe słodkie usteczka i pozwól mi przemówić, a postaram się – w przeciwieństwie do Ciebie, Pani – być zwięzłym i treściwym.

O ty, polskiej ziemi chwało,
Ty, postaci wpółmonarsza,

Ty, czcigodna, nazbyt mało
Opiewana „damo starsza";

Ty, co z głębin swej kanapy
Wychylając kibić tłustą,
Brzydkie swe nadstawiasz łapy
Przerażonym naszym ustom;

Ty, co z dostojeństwem w twarzy
Dźwigasz swe potworne kłęby,
O których *Lustmörder* marzy
Szczerząc zakrwawione zęby;

I ty, uroczysta klępo,
W swojej wiecznej sukni bordo,
Ze swą beznadziejną tępą –
Powiedzmy otwarcie – mordą;

Ty, orędowniczko dzielna
Uciśnionej polskiej nacji,
Arcykapłanko naczelna
Naszej starobabokracji;

Ty, co w „Piątki" lub „Soboty"
Polskich dusz sprawujesz rządy,
Starodawne wskrzeszasz cnoty
A druzgocesz „nowe prądy";

Co na fiksach i na rautach,
I na dobroczynnej sesji
Pytlujesz o pruskich gwałtach,
O „modernie" i secesji;

Ty, co wszelkich zadań bytu
W mig rozcinasz każdy problem,

Gdy człek myśli, jakim by tu
Zamknąć babie gębę skoblem;

Ty, strącona z Łysej Góry –
W salonu fałszywy „ampir",
Gdzie nas bierzesz na tortury
I krew nudą ssiesz jak wampir;

Ty, co głupoty powagą
Najmądrzejszych wodzisz za łby;
Ty, którą po śniegu nago
Człowiek bez litości gnałby;

Ty, elokwencji patoko,
Coś jest wiecznych sporów źródłem,
Czy cię nazwać starą kwoką,
Czy też raczej starym pudłem;

Ty, co gorzko winisz męża
O prozaizm i codzienność,
Gdy twa energia zwycięża
Nazbyt rzadko jego senność;

I ty, której czujność tępi
Młodych wzruszeń powab czysty,
A co w Tomaszu à Kempi
Dawnych gachów chowasz listy;

Ty, co zdarłszy z siebie płótna
Oglądasz się w lustrze całą
I wzdychasz, ropucho smutna:
„On tak lubił moje ciało..."

Ty, obrazie wiedźmy starej,
Wydarty ze sztychów Goyi –

Powiedz mi: przez jakie czary
Jęczymy w niewoli twojej?

Z jakim czartowskim blekotem
Omamienie na nas padło,
Że czynimy czci przedmiotem
Szpetność, głupotę i sadło?

Przez jakie dziwne kuriozum
Tłuszcz bierzemy za charakter,
Pustą grzechotkę za rozum,
A za obraz cnót – k l i m a k t e r?

Za co stwór podeszły wiekiem,
Co k o b i e t ą  b y ć  j u ż  p r z e s t a ł,
A  n i g d y  n i e  b y ł  c z ł o w i c k i e m,
Windujemy na piedestał???!

Próżne gniewy, próżne męstwo,
Nie nadeszła chwila jeszcze –
Nazbyt silnie czarnoksięstwo
Ściska nas w potworne kleszcze;

Coraz ciaśniej, coraz duszniej,
Coraz bardziej smutni, słabi,
W takt kręcimy się, posłuszni,
Jak nam zagra chochoł babi;

I tylko w tęsknocie żyjem,
Czy nie wstanie jaki Wandal,
Co przepędzi babę kijem
I zakończy raz ten skandal!...

Pisane w r. 1908

## JAK WYGLĄDA NIEDZIELA OGLĄDANA
## PRZEZ OKULARY JANA LEMAŃSKIEGO

By uniknąć ambarasu,
Wzięto rok za miarę czasu.

Dzielą go (bardzo wygodnie)
Na miesiące i tygodnie.

Tydzień znów z grubsza podzielę
Na zwykłe dni i Niedzielę.

Do pracy są zwykłe dzionki,
A Niedziela dla małżonki.

W ten dzień by największa ciura
Wyzwolona jest od biura.

Każdy ze swoją niewiastą
Rad wybiera się za miasto.

Podaj ramię magnifice
I jazda z nią na ulicę.

Oczywista, że i dziatki
Śpieszą obok swego tatki.

Przodem Maryjka, a za nią
Klementynka, Brzuś i Franio.

W ciągu miłej tej podróży
Człowiek trochę się zakurzy.

Szkoda nowej sukni w groszki:
Szukaj, mężusiu, dorożki.

Każda, jak to zwykle w święta,
Odpowiada ci: „Zajęta".

Żona ci wypruwa flaki:
„BO TY ZAWSZE JESTEŚ TAKI".

Ożywiona tą gawędką,
Droga mija dosyć prędko.

Szczęściem wzbiera miejskie łono,
Gdy trawkę widzi zieloną.

Już was tylko przestrzeń krótka
Oddziela od piwogródka.

Ale kto ma liczną dziatwę,
Nic mu w życiu nie jest łatwe.

Franio się przestraszył gęsi,
A Maryjka woła: „ęsi".

Brzusiowi pot spływa z czoła
I co gorsza, nic nie woła.

Wszystko mija, więc szczęśliwie
Siedzicie wreszcie przy piwie.

Miło słyszeć jest *Traviatę*
W wykonaniu firmy Pathé.

Kiedy człowiek sobie podje,
Dziwnie tkliw jest na melodie.

Ogryzając z kurcząt kości
Nucisz „Za zdrowie miłości..."

Ociężałym nieco krokiem
Wracasz do dom późnym zmrokiem.

Teraz wielka pantomima:
Do snu kładzie się rodzina.

Najpierw Maryjka, a za nią,
Klementynka, Brzuś i Franio.

Patrzysz łakomie, jak żona
Rozdziewa pierś i ramiona.

Słońce, wieś, *Traviata*, piwo,
Myśli płyną ci leniwo.

A finał ekskursji całej:
Nowy bąk za trzy kwartały.


## DUSZA POETY
Scena estradowa

*Sala przyćmiona. Scenka oświetlona seledynowym światłem. Na kanapie
leży poeta i chrapie, od czasu do czasu mu się odbija. Na podłodze stoi
miednica. Akompaniament gra bardzo delikatnie ustęp z „Karnawału"
Schumanna pt. „Chopin". Z ciała poety wychodzi jego dusza w kształcie
powabnej postaci niewieściej, odzianej w powłóczyste gazy, i tak żali się przed
publicznością:*

Usnął. Usypia. Jeszcze chwila jedna,
A już polecę, na krótko, niestety!
Ulecę w przestrzeń, ja, skazanka biedna,
                    Dusza poety...

Ha! Jakaż dola! Potęgą nieznaną
Na wiek wtrącona w to leniwe cielsko,
Więzić w nim muszę mą niepokalaną
          Glorię anielską...

Jedno wytchnienie to, gdy sen go zmorzy
Lub gdy z opilstwa legnie jak trup blady,
A mnie porywa wówczas wicher boży
          Hen, w gwiazd miriady...

Kto nas sprzągł razem? Po co? W jakim celu?
Za czyje winy? Na pokutę czyją?
Każąc śnić życie jednemu wśród wielu,
          Co tylko żyją?...

Po co i na co tłuc mi się daremnie
W tej biednej piersi, ach, nazbyt człowieczej,
Tchnąc w nią niepokój tej, co mieszka we mnie,
          Ogromnej rzeczy?...

Za co mi cierpieć, jak w godzinie męki, ˋ
Którą śmie nazwać godziną t w o r z e n i a?
Plami dotknięciem swej kosmatej ręki
          Mój świat marzenia...

Za co mi patrzeć, jak pomiędzy gminem
W mój blask się stroi, mą boskością puszy,
Jak się bezecnym staje kabotynem
          Swej własnej duszy?...

A znowu, kiedy nań się wzajem patrzę,
Jak go szaleństwo mych skrzydeł urzekło,
By go przez wzruszeń sensacje najrzadsze
          Gnać w zwątpień piekło;

Gdy widzę, w jaką kaźń się wprzęga srogą,
Aby się czepić by za kraj mej szaty,
Żal mi nędzarza, co płaci tak drogo
                                 Bilet w zaświaty...

Jam winna temu, że w odmęcie grzechu
Melodii szuka dla swej biednej pieśni,
Klnąc los swój, iż mej harmonii oddechu
                                 Nie ucieleśni...

*Poeta wydaje dźwięk przeciągły a podejrzany.*

Jam winna temu, że to, co zamarło
W człowieczej piersi z odwiecznych zrozumień,
Próbuje wskrzesić lejąc w spiekłe gardło
                                 Żytniówki strumień...

*Poecie haniebnie się odbija.*

Ja go w sromotne pędzę lupanary,
Rwąc się ku piękna wiecznego świątyni,
I patrzeć muszę, na domiar mej kary,
                                 Co on tam czyni...

*Poeta oblizuje się przez sen.*

I jedno tylko pragnienie tajemne,
I jedno tylko przyświeca mi hasło:
Rozżarzać tchem mym to płomię nikczemne,
                                 By rychlej zgasło...

I czekam, marzeń nić snując leciuchną,
I pytam z drżeniem co chwilę, azaliż
Nie przyjdzie moment wreszcie, że to próchno
                                 Zmiecie paraliż?...

Wówczas skrzydłami zatrzepocę i nad
Ziemskie padoły zapieję radością,
Że już się skończył śmieszny konkubinat
      Prochu z wiecznością!...

*Poeta chrapie przeciągle i przewraca się na drugi bok, wypinając się ku
publiczności gestem mimo woli i niewinnie prowokacyjnym.*

Pisane w r. 1913

## KŁOSKI
Utwór dydaktyczny

Nie wiem, czy to lat mych skutek,
Czy mi co innego wadzi,
Dość, że coraz częściej smutek
Na mym czole się gromadzi.

Taki smutek jakiś mętny,
Potocznie mówiąc „kosmiczny",
Jakiś dziwnie beznamiętny,
Jakiś ultraplatoniczny...

Myśli coraz wstecz mi biegną
Ogarniając życia całość,
Tak się plączą wkoło niego
W jakąś mglistą, głupią żałość...

Coraz częściej roję o niem,
Dumam nad jego „urodą" –
Gdybym nie był starym koniem,
Myślałbym, że umrę młodo...

Jakoś mi się zaprószyły
Świadomości mej organy
I na świat ten, piękny, miły,
Patrzę wpół jak zabłąkany:

Po ziemi patrzę, po niebie,
Po zielonych łąk kobiercu
I coś szepcę sam do siebie,
I coś mnie tak pika w sercu...

Kiedy ulubionej mojej
Spazmatycznie ściskam żebra,
Naraz w głowie mi się troi:
Co ma znaczyć ta algebra?...

Gdzie ma sens swój to zrównanie,
W którym znaczków gramy rolę,
My w prabytu oceanie
Biedne oka na rosole?...

Tak raz szedłem sobie miedzą
Wśród łanów pszenicy źrałej,
Której kłosy nic nie wiedzą,
Co to ludzkie komunały.

Jak im Bóg przykazał, rosną,
Ot, bez próżnego hałasu,
Kiełkują skwapliwie z wiosną,
Aby wydać plon zawczasu.

Nic nie dbając, co je czeka,
Dojrzewają wnet, a potem
W łakome kiszki człowieka
Pchają się chlebusiem złotym.

Wchodzą w nie, wychodzą, ano
Znów wracają z przyszłym rokiem,
Znów się złocą w cudne rano
Pod słoneczka czujnym okiem.

I żal chwycił mnie ogromny,
I w sercu stałem się cichy,
I uczułem się tak skromny
Jak ten ziemny kłosek lichy;

I w dumy mojej pogrzebie
Nazbyt późno zrozumiałem,
Że żyć trzeba, ot, przed siebie,
Nie szukając dziur na całem;

Że w bytu poczuciu zdrowym
Każdy twór swe lokum znajdzie:
Choć raz tym jest, a raz owym,
W końcu, gdzie potrzeba, zajdzie;

Więc notuję me wrażenia,
Może gdzieś, za lat choć trzysta,
Z mojego tu doświadczenia
Kto inny bodaj skorzysta...

Pisane w r. 1913

## UWIEDZIONA
Dialog (!) sceniczny

O s o b y:
O N A,  piękna, wykształcona i ozdobnie mówiąca.
O N,  naturalnej wielkości, wypchany, wszelako uzdolniony do wykonywa-
nia pewnej ilości automatycznych poruszeń.
*Siedzą obok siebie na kanapce buduaru; za sceną akompaniament gra
cichutko jakiegoś marzącego walca.*

O n a

Och, nie, proszę się na mnie w ten sposób nie patrzeć...
Pan ma w oczach dziwnego coś... Och, ja się boję...
Nie, nie, potem zbyt trudno mi w pamięci zatrzeć
Ten wyraz, jaki mają oczy pańskie... twoje...
Kiedy tak patrzysz, patrzysz, coś się budzi we mnie...
Nie zmysły – och, nie, na to warciśmy zbyt wiele –
Ale coś, coś, co schwycić silę się daremnie,
Coś jak ptak, co o klatkę tłucze się nieśmiele
I chciałby hen, daleko, ulecieć w przestworze,
Do jasności, do słońca... Ach, co ja znów baję!
Pana to nudzi, prawda? Nie przecz pan. Mój Boże,
Ja jestem mniej naiwna, niż się panu zdaje;
Wiem, że co dla mnie może stać się życiem nowym,
Mym odrodzeniem, wszystkim, jest dla pana tylko
Epizodem, rozrywką, sportem salonowym,
W najlepszym razie wrażeń migotliwą chwilką...
Ale co mi tam: mniejsza! Dość bogata jestem,
By chociażby na marne rzucić duszy kawał –
To ma g e s t! Pan uśmiecha się? Pan gardzi gestem?...
Pan jest mniej zajmujący, niż się pan wydawał –
Ach, jakie to banalne, ta ironia pańska!
Jakie to łatwe, tanie! Jakie nowoczesne!
Lecz we mnie jakaś dusza czai się pogańska,
Umiłowanie życia namiętne, bezkresne,
Co mi pozwala płynąć wśród waszych małostek
I niesie mnie ku szczytom niby pieśń świetlana,
Że mi szarzyzna wasza nie sięga do kostek!
Co panu? Pan posmutniał... czy dotknęłam pana?...
Nie, ja tak nie myślałam... pan przecież jest inny,
W tobie nie ma małego nic – pan mnie rozumie –
No, proszę mi darować ten wybryk niewinny – –
O, dać rękę, popatrzeć, tak jak to pan umie...
Ja chcę wszystkiemu wierzyć – ja wszystkiemu wierzę –
Och, tak, przytul, przygarnij dzieciaka... twojego...
Tak, czujesz moje serce przy twoim?...

. . . . . . . . . . . . . . . . . . . . . . . . .

                                    Och! – – zwierzę!!!
Zdaje się, że pan wziął mnie za kogo innego?!
Moja wina, wyznaję: zapomniałam o tem,
Że mimo wszystko w panu tkwi zawsze – mężczyzna.
Pan mnie otrzeźwił. Dzięki serdeczne. Tym zwrotem
Oddał mi pan ogromną przysługę. Pan przyzna,
Że najlepiej, jeżeli zapomnim oboje,
Żeśmy się kiedykolwiek znali. Żegnam pana.
Tak, żegnam.

. . . . . . . . . . . . . . . . . . . . . . . . .
            ...zostań...
                        ...ktoś ty?... Ja się ciebie boję...
Och, co się ze mną dzieje... czym ja obłąkana?...
Nie, nie, to nic, to przejdzie... o czymśmy mówili?...
O *Xiędzu Fauście*, prawda? Cóż pan o tym sądzi?
Co do mnie, to czas spędzam przy książce najmilej,
Gdy mi wypadnie z ręki, a myśl błądzi, błądzi,
Ot, tak, samopas, nisko, niby mgła wieczorna,
Co snuje się w księżycu przez ściernie, ugory,
To jak dzwonek kapliczki wioskowej pokorna,
To znów żałosna niby cmentarne upiory...

To dziwne, jak mi dobrze się rozmawia z panem...
Pan tak umie rozumnie słuchać. Mam wrażenie,
że choćbym się wyrwała, ot, z czymś niesłychanym,
Z czymś potwornym, wariackim, zawsze przebaczenie
Znalazłabym u pana...
                        Och, mów do mnie jeszcze...
Ukołysz mnie jak do snu... oczy mrużę senne,
Pragnę twych słów, a w myśli usta twoje pieszczę
Mymi ustami, w myśli całunki płomienne
Składam na nich...
                        ...w tej chwili naga jestem cała,
Kołyszę się na fali jakichś grań anielich
I otwieram, ach, tobie, kwiat mojego ciała

Niby jakiś upojny, przenajczystszy kielich...
Ach, jakam bardzo twoja...

                    Ha, com ja wyrzekła!
Pan to zapomni, musi pan zapomnieć o tem...
I ja zapomnę, choćby wszystkie moce piekła
Ciągnęły mnie do ciebie... Co potem, co potem?...
Potem? Och, prawda, potem... umrzeć można przecie!
Czyż to cena zbyt wielka za szaleństwa chwilę?...
Pan się zawahał... słusznie – pan widzisz w kobiecie
Obiekt, z którym przepędzić czas można dość mile,
Lecz dla której nic więcej poświęcić nie warto.
Pan jest człowiek praktyczny. Tym lepiej dla pana.
Cóż, kiedy na istotę pan trafił upartą,
Co nie chce panu służyć za kubek szampana – –
Chyba że potem strzaskasz na miazgę ten kubek!
No, zabijesz mnie, powiedz?... twój dzieciak tak prosi,
Patrz, sam do ciebie oto wyciąga swój dzióbek...
Będziemy tak szczęśliwi... ludziom się ogłosi,
Żem sama się zabiła... uwierzą z pewnością:
„Taka wariatka, pewnie, to wygląda na nią" –
I tak odejdę,  c i c h a,  z mą wielką miłością,
I zostanę dla ciebie twą słoneczną panią – –
Tak mi jest dziwnie, nie wiem, co się dzieje ze mną,
Zdaje mi się, jak gdybym już gdzieś w dal leciała;
Trzymaj mnie, trzymaj mocno, och, w oczach mi ciemno,
Dusza moja jak gdyby już odeszła z ciała –
Nic nie wiem, co się dzieje... gdzie jestem w tej chwili...
Czy ja cię kiedy znałam... czym istniała w tobie...
Czyśmy gdzieś, na planecie jakiejś, wspólnie żyli...
Czekaj... czekaj... ja muszę... och, przy... po... mnieć sobie...
. . . . . . . . . . . . . . . . . . . . . . . .
. . . . . . . . . . . . . . . . . . . . . . . .
Pan jest człowiek nikczemny.

Pisane w r. 1913

# KRAKOWSKI JUBILEUSZ

Nie wiem, który to nasz przodek,
W przydługi ponoś karnawał,
Gdy wyczerpał wszelki środek,
Skąd wziąć jaki świeży kawał,

Wnet, po formy dążąc nowe,
Chwycił kpiarstwa kaduceusz,
Skrobnął się nim mocno w głowę
I wymyślił – jubileusz.

Przyjęła się ta zabawa,
Jako że w niej leży sposób,
Co każdemu daje prawa
Kpić z najszanowniejszych osób;

Lecz że wszystko mija w świecie
(Niech go jasny piorun trzaśnie!)
I zdarzyć się może przecie,
Że tradycja ta wygaśnie,

Podam tu więc przepis cały,
By wszedł do krakowskich kronik,
Na ten jubel tak wspaniały,
Jak „rękawka" lub „lajkonik".

Bierze się do tego celu
Tęgiego, starego pryka,
Sadza się go na fotelu
I siarczyście się go „tyka".

Odmiany wszak prawa znacie,
Trudności nie będzie zatem;
Więc: jubilat, jubilacie,
Jubilata, z jubilatem...

Publiczności zastęp liczny
Hurmem obsiada galerią,
A cały ten obchód śliczny
Sam pacjent bierze na serio.

Wstaje rzędem człek niektóry,
Kogo tam zaswędzi ozór,
I wygłasza srogie bzdury
W uroczysty dmąc je pozór.

Brzmi powaga w każdym słowie,
Choć od śmiechu drgają rzęsy:
O, bo myśmy tu w Krakowie
Wszystko straszne *sans rire pęsy*.

Reszta słucha, oczy mruży
Kpiąc po trosze sobie z pryka,
I z tego, który bajdurzy,
I z tego, który to łyka.

„Z uwielbienia pełnym łonem
Stawam tu, czcigodny panie,
Z sercem... te... tak przepełnionem,
Że mi ledwo tchu już stanie.

Twe zasługi są tak duże,
Żeby trzeba, jakem szczery,
Ryć... te... spiżem... na marmurze...
(*po cichu*: cztery litery).

Twoje słowa mądre, wieszcze,
Żyć w narodzie będą święcie
I prrrrawnuki nasze jeszcze
Mieć je będą... (*cicho*: w pięcie).

Więc, gdy zasług jubilata
Żaden czasu grom nie zetrze,
Niech nam jeszcze długie lata...
(*po cichu*: psuje powietrze)...”

Coś tam jeszcze mówca bąka,
Orkiestra kropi fanfarę,
A jubilat głośno siąka,
Łez rozkoszy roniąc parę.

*Magnificus* się podnosi
(Przypadkowo ginekolog)
I znów z innej beczki głosi
Lapidarny swój nekrolog.

Myśli wątku nie rozprasza,
Ale skupia w treść ogólną:
„Panie... ten... ojczyzna nasza...
Jest nam wszystkim... matką wspólną...

Ona poi nas swym mlekiem
I karmi niby dziecinę,
Zanim stanie się człowiekiem...
Przez swą... panie... pępowinę...

Znak to niskiej, podłej duszy,
Narodowym to występkiem,
Gdy kto związki... panie... kruszy
Z tym matczynym... panie... pępkiem...

I choć wrogie siły czasem
Sznur pępkowy... panie... przedrą...”
(Cóż, u diabła, z tym kutasem! –
Jak powiada stary Fredro...)

*Et caetera, et caetera,*
Jeden gada, drugi gada,
„...Praca żmudna, ciężka, szczera..."
(Sam jubilat odpowiada.)

I tak dalej, i tak dalej,
Coraz cieplej, coraz parniej,
W końcu obiad w dużej sali:
Barszczyk, łosoś, comber sarni.

Znów podają jubilata
W różnych sosach na patelni,
Znów się każdy głąb z nim brata,
Kpiąc zeń coraz to bezczelniej.

Aż wreszcie, dobrze już rano,
Gdy wyssą wszystkie likwory
I każdy pałę zawianą,
A brzuch ma od śmiechu chory,

Pacjenta odwożą do dom,
Gdzie w pierzynie ciepłej legnie,
Nim ku nowym takim godom
Znowu latek dziesięć zbiegnie;

A ci szelmy, krakowianie,
Dalej sobie łamią głowy,
Komu by tu wyrżnąć – panie –
Kawał „jubileuszowy".


PIEŚŃ O MOWIE NASZEJ

Rzecz aż nazbyt oczywista,
Że jest piękną polska mowa:

Jędrna, pachnąca, soczysta,
Melodyjna, kolorowa,

Bohaterska, gromowładna,
Czysta niby błękit nieba,
Mądra, zacna, miła, ładna –
Ale czasem przyznać trzeba,

Że ten język, najobfitszy
W poetyczne różne kwiatki,
W uczuć sferze pospolitszej
Zdradza dziwne niedostatki;

Że w podniebnej wysokości
Nazbyt górnie toczy skrzydła,
A nas, ludzi z krwi i kości,
Poniewiera – gorzej bydła.

To, co ziemię w raj nam zmienia,
Życia cały wdzięk stanowi,
Na to – nie ma wyrażenia,
O tym – w Polsce się nie mówi!

Pytam tu obecne panie
(By od grubszych zacząć braków):
Jak mam nazwać... ,,obcowanie"
Dwojga różnych płci Polaków?

Czy ,,dusz bratnich pokrewieństwem"?
Czy ,,tarzaniem się w rozpuście"?
,,Serc komunią" – czy też ,,świństwem"
Lub czym innym w takim guście?

Choć poezji święci wiosnę
Wieszczów naszych dzielna trójka,

Polskie słownictwo miłosne
Przypomina – Xiędza Wujka!

Dowody najoczywistsze
Znajdziesz choćby w takim głupstwie,
Że polskiego słowa mistrze
Śnią o – „rui i porubstwie"!!

W archaicznym tym zamęcie
Jak ma kwitnąć szczęścia era?
Gdzie zatraca się pojęcie,
Tam i sama rzecz umiera!

Ludziom trzeba tak niewiele,
By na ziemi niebo stworzyć –
Lecz wykrztusić jak: „Aniele,
Ja chcę z tobą... «cudzołożyć»!!"

Jak wyszeptać do dziewczęcia:
„Chcę... «pozbawić cię dziewictwa»...
Nie obawiaj się «poczęcia»,
Kpij sobie z «ja-wno-grze-szni-ctwa»!"

Jak kusić głosem zdradzieckim,
Wabić słodkich zaklęć gamą?
Każdy wyraz pachnie dzieckiem,
Każde słowo drze się „mamo!"

Nazbyt trudno w tym dialekcie
Romansowe snuć intrygi;
Polak cnotę ma w respekcie
Lub „tentuje" ją – na migi!

Stąd, gdy w Polsce do kolacji
„Płcie odmienne" siądą społem,

Główna cząstka konwersacji
Zwykła toczyć się pod stołem...

Niech upadnie ci serweta –
Człowiek oczom swym nie wierzy:
Gdzie mężczyzna? Gdzie kobieta?
Która noga gdzie należy?

Pantofelków, butów gęstwa
Fantastycznie poplątana,
Stacza walki pełne męstwa:
Istny *Grunwald* Mistrza Jana!

Tak pod stołem wieczór cały
Gimnastyczne trwa ćwiczenie,
A p r z y  stole – komunały
O Żeromskim lub Ibsenie...

Lecz najcięższą budzi troskę,
Że marnieje lud nasz chwacki,
Że już cichą, polską wioskę
Skaził żargon literacki;

Na wieś gdy się człek dobędzie,
Chcąc odetchnąć życiem zdrowszem,
Słyszy: ,,Kaśka, jakże bendzie
Wzglendem tego co i owszem...''

.    .    .    .    .    .    .    .    .    .    .    .    .    .    .    .

Widzę tu zebraną tłumnie
Kapłanów sztuki elitę,
Co swe kudły wznoszą dumnie
Ponad rzesze pospolite.

Wy! ,,świetlanych duchów związek'',
Wy! ,,idei stróże czystej'',

W a s z  to jest psi obowiązek
Kształcić język ten ojczysty!

Skończcie wasze komedyje,
Schowajcie pawie ogony,
Żyjcie – czym każdy z nas żyje,
Idźcie – – k o c h a ć... za miliony!

Dość „nastrojów" waszych, dranie!
Uczcie m ó w i ć  waszych braci:
To jest wasze powołanie!
Od tego was naród płaci!

Język naszym skarbem świętym,
Nie igraszką obojętną;
Nie krwią, ale atramentem
Bije dzisiaj ludów tętno;

Musi n a p r z ó d  i ś ć  z ż y w e m i,
A nie tępić życia zaród,
Soków pełnię czerpać z ziemi:
Jaki język – taki naród!!!

Pisane w r. 1907


PIEŚŃ O ZIEMI NASZEJ
(Fragmenty)


A czy znasz ty, bracie młody,
Te najmilsze dla Polaków
Szarej Wisły senne wody
I nasz stary, polski Kraków?

A czy znasz ty te ulice,
Puste w nocy, brudne we dnie,
Gdzie się snują eks-szlachcice,
Tępiąc smutne dni powszednie?

A czy znasz ty te kawiarnie
(W całym świecie takich nie ma),
Gdzie dzień cały marnie, gwarnie
Wałkoni się cud-bohema?

Tam wre życie! Kipi, tryska!
W dymu chmurze tytoniowej
Myśli płoną tam ogniska,
Chlebuś piecze się duchowy.

Wszystko tylko Duchem żyje,
Wszystko tylko Pięknem dyszy;
Nigdy ucho tam niczyje
Prozy życia nie zasłyszy;

Estetyczne rozhowory
Rozbrzmiewają od stolików,
Sztukę pcha na nowe tory
Grono c.k. urzędników;

Nic nie mąci głębin myśli,
Nic nie przerwie sennych marzeń –
Żyjem całkiem niezawiśli
Od banalnych kręgów zdarzeń!

Niech się fale zjawisk kłębią
Gdzieś tam w wielkich stolic wirze –
My tu żyjem życia głębią!
(Jak robaki w starym syrze...)

Niech tam sobie inne nacje
Zadzierają nosy w górę –
Kraków też ma swoje racje:
Swoją własną ma „Kulturę"!

Tak więc: chytry jest Germanin,
Francuz – sprośny, Włoch – namiętny,
A zaś każdy krakowianin:
G o ł y   i   i n t e l i g e n t n y.


*   *   *


Niech tam Paryż krocie trawi
Na dmimądy i metresy;
Krakowianin się nie bawi
W takie głupie interesy.

Nad gorączką manny złotej
On zwycięstwo odniósł walne;
Nowe puścił w kurs banknoty:
G o ł o   –   i n t e l e k t u a l n e.

Całą siłą swej sugestii
Wytłumaczył zacnej Polsce,
Że wśród wszystkich męskich bestii
DUSZĘ – mają tylko golce.

Uwierzyło biedne kurczę
W ewangelię tę ubóstwa;
Opływają duchy twórcze
W gratisowe cudzołóstwa;

Wszystko wietrzy za nierządem,
O przystępnej marzy frajdzie:

Z estetycznym płynąc prądem
Każdy jakieś łóżko znajdzie;

Sztuki esy i floresy
Tak szalony mają popyt,
Że nie starczy na karesy
Pegazowi czterech kopyt;

Żądza „stylu" ogarnęła
Rozwydrzony damski światek,
Więc kaplice i muzea
Pełnią funkcję separatek;

Bez szampitra i kolacji
Wykpisz, bracie, się z romansu:
I czyż wielbić nie mam racji
Krakowskiego Renesansu?

*   *   *

Sztuka różne ma sposoby,
By dać szczęście swoim synom:
Więc stworzyła żeńskie snoby
Na pożytek kabotynom.

Mieszczaneczka żyła sobie
Pielęgnując białe sadło,
Naraz na nią, jak w chorobie,
Objawienie Sztuki padło.

Męczy, dręczy z dobrej woli
Swego móżdżku biedne centra,
Na czworakach się gramoli
Na kultury wyższe piętra.

Wspólna korzyść z takich hister-
ycznych zachceń wypaść może:
„Czystą sztukę" ma filister,
A kabotyn – s t ó ł  i  ł o ż e...


\* \* \*


Siedzi dziewczę z literatem
(Ledwie go oczami nie zji),
Upojone surogatem
I koniaku, i poezji.

On jej szepta coś do uszek,
I n t e l e k t e m  praży z bliska:
I – straci dziewczę wianuszek,
Ale „światopogląd" zyska!

W przykrą jawę sen się zmienia,
Milknie śpiewne duszy granie –
Dziewczę szuka WYZWOLENIA,
Znajdzie tylko rozwiązanie...

Pisane w r. 1907


LIST OTWARTY KOBIETY POLSKIEJ

pod adresem „Zielonego Balonika"


Do twych licznych wieńców chwały,
Mój czcigodny kabarecie,
Pozwól dzisiaj listek mały
Dorzucić – polskiej kobiecie;

Usłysz od niej prawdy słowo,
Moja kliczko pięknych duchów,
Żeś edycją luksusową
Typowych polskich eunuchów!

Gdy obalasz dawne style,
Nowe wieścisz schrypłym głosem,
Czyś pomyślał choć przez chwilę
Nad nieszczęsnym m o i m  l o s e m?

Aby w tajnie m e g o  s e r c a
Zajrzeć, coś uczynił, powidz?
Nieodrodny spadkobierca
Starego gbura z Nagłowic!

. . . . . . . . . . . . . . . . . . . . . . . . .

Sto lat w lirycznej niewoli
Jęczymy: u nóg koturny,
Czoło w świętej aureoli,
Na głowie popiołów urny.

Spojrzenie czyste a tkliwe,
Na piersiach cnoty puklerze:
Sto lat czekamy cierpliwie,
Kto nas z tych strojów rozbierze!

Gdy rozeszła się wieść głucha
Jakiejś nowej ewangelii,
Jasny płomień w sercach bucha:
Precz z Kordianem, w kąt Anhelli;

Jakiś nowy dreszcz nas wzrusza,
Droga życia każda chwila,
Laura szuka kapelusza,
Weneda sukienki lila,

Aldona tłucze się w wieżę
Wołając: „Proszę otworzyć!",
Grażyna zrzuca pancerze,
Lecz nie zdążyła nic włożyć –

Do Telimeny Zosieczka,
Ukrywszy w dłoniach oblicze,
Ciągnie z litewska: „Cjoteczka,
Naucz mnie tańczyć macziczę!"

Pokazując zgrabne nóżki
Pani Aniela Beniowska
Przykleja zalotne muszki
Koło zadartego noska –

Każda woła: „Nie chcę dziecka!"
Szepcą nawet starsze panie,
Że M a r y n i a  P o ł a n i e c k a
Przyspieszyła rozwiązanie!!

Wszędzie nową czuć herezją –
W całym stawku płytko grząskim,
Gdzie „obowiązek" poezją,
A poezja obowiązkiem.

Wszystko czeka z utęsknieniem,
Skąd zaświta nowa era:
Wreszcie – słyszym z serca drżeniem,
Że – – „kabaret" się otwiera!
. . . . . . . . . . . . . . . . . . . . . . . . . .

Jakiż zawód! To zebranie
Poczciwych sarmackich gburów;
Mordobicie, wódkochlanie,
Kurdesze pijackich chórów,

Łby dymiące, sprośne fraszki,
Ryki bezmyślnych toastów –
To wasze górne igraszki,
Nieodrodne plemię Piastów?

Któż z was pojmie i wyśpiewa
Dziewiczego ciała zapach,
Jak z melancholii omdlewa
W waszych grubych polskich łapach!

Kto się umie drażnić mową
Szumu leciuchnych falbanek?...
Co w a m o to! Gadaj zdrowo!
Byle w komplecie był „w i a n e k"!

Kto z piersi naszej westchnienia
Subtelnym dobędzie gestem?
Kto uprzedzi głos sumienia
Opadłych sukien szelestem?

Kto z was pieszczotą zuchwałą
Zbudzi sen zaklętych dziewic?
Niech wystąpi! zaraz! śmiało!
Gdzież jest ten z bajki królewic?
. . . . . . . . . . . . . . . . . . . . . . . .

Niż waszych słuchać hałasów,
Nowej kultury rycerze,
Wolę czekać lepszych czasów
W skromnej, polskiej – garsonierze!

Pisane w r.1906

# REPLIKA KOBIETY POLSKIEJ

na odpowiedź młodzieńca polskiego*

Nie tobie, mój Sowizdrzale,
Złotowłosy piękny paziu,
Nie tobie, mój słodki Aziu,
Taka przystała odpowiedź
Na tęsknoty me i żale,
Na mojego serca spowiedź!
Ty niewdzięczny, ty niepomny,
Ty, pieszczony jak Żuanek,
Mentor panieneczki skromnej,
Półdziewicy półkochanek,
Ty, bawidełko mężatek,
Feblik matek, wdów gagatek,
Spowiednik arystokratek,
Ty, co piłeś do przesytu
Zmysłów mych najskrytsze dreszcze,
Co dziś cały ciepły jeszcze
Od puchu mojej pościeli,
Ty – mi mówisz o kądzieli?
Więc ty, mimo twego sprytu,
Nie poznałeś mnie na tyle,
Że dla ciebie dokumentem
Są M a r y n i e   i   M a r y l e?!
Że dla ciebie pismem świętem
Są A n i e l e   i   A n i e l k i
I ten ckliwy produkt wszelki
W a s z e j   wytrzebionej „j a ź n i",
W a s z e j   smutnej wyobraźni?!

Więc te cuda polskich dziewic –

* Odpowiedź młodzieńca polskiego na *List otwarty* pióra A. Nowaczyńskiego zamieszczona jest w jego *Figlikach sowizdrzalskich.*

Swojskiej cnotki miły zapach –
Te gosposie i te Zosie,
Które sobie przy bigosie
Fantazjował pan Mickiewicz,
Aby znaleźć w nich pociechę
Po swoich miłosnych klapach,
Czyjeż są tęsknoty echem?
Czyjeż ideały godne?
A te w czułym atramencie
Urodzone nimfy wodne
Pana Słowackiego Jula,
O którego... mankamencie
Wie dzisiaj każda smarkula
I który mu wypomina
Nawet Ś w i d e r s k a  A l i n a!!
A ten... trzeci wasz poeta...
No, ten... hrabia... z dużym nosem,
Któremu każda kobieta,
Co ją ujrzał bez bielizny,
Była symbolem ojczyzny,
A łóżko ofiarnym stosem!
(Tak w męczeństwa aureoli
Z każdą popływał w gondoli,
Potem – ona poszła z dzieckiem,
A on rozmawiał z Czarnieckim!)
Powiedz, proszę, z jakiej racji
Ja mam brać odpowiedzialność
Za tych figur monstrualność,
Wylęgłych w imaginacji
Rozmaitych takich panów?!
Więc te przeróżne perwersje
Lechickich erotomanów,
Polskie matki, polskie żony,
Te Grażyny i Aldony,
Ty chcesz uważać za wersję
Autentyczną kobiecości?

. . . . . . . . . . . . . . . . . . . . .
To się można wściec ze złości!

Zostaw całą tę bibułę,
Złotowłosy paziu słodki,
Zostaw te androny czułe,
Wielkich duchów małe plotki!
Wierz mi, wszyscy ci poeci
To są duże, stare dzieci
I najgłupsza panna z pensji
Nie ma tak śmiesznych pretensji.
Że ktoś stworzył *Tadeusza,*
Winszuję mu sercem całem,
Lecz czyż każdego geniusza
Mam uwieńczać własnym ciałem?
Płacić długi społeczeństwa
Ceną mojego panieństwa?
Zapytajcie się M a r y l i;
Opowie wam każdej chwili –
Czuje w kościach do tej pory
Te filareckie amory
I ten poetycki kierat,
W jaki wprzągł ją pan literat!
W niewinności szukał chluby,
Mleczkiem pijał zdrowie „lubej",
Ballad płodził całe łokcie,
Z sercem czystszym niż paznokcie
Mierzył, zbrojny w pancerz wiary,
S i ł ę (męską!) n a z a m i a r y!
Takie ma kobieta szanse,
Gdy się z wieszczem wda w romanse.
A niech która się odważy
Zerwać nici tych szantaży,
Śluza przekleństw się otwiera:
„Puchu marny" *et caetera!*

Pójdź, mój paziu, chwile płyną,
Nie dla nas ta gra słów pusta:
Gdy pić zechcesz życia wino,
Zawsze znajdziesz moje usta,
Choć p o d   o k n e m trubadury
Giną w lirycznej agonii,
Drwij z całej literatury,
Oknem właź bez ceremonii!

Pisane w r. 1906


## Z PODRÓŻY LUCJANA RYDLA NA WSCHÓD

GRÓB AGAMEMNONA

*Niech fantastycznie lutnia nastrojona*
Wtóruje pieśni tragicznej i smutnej,
Bo – Rydel wstąpił w Grób Agamemnona
I pysk rozpuścił w sposób tak okrutny,
Że rozbudzone na wpół trupy z cicha
Szepcą do siebie: „Cóż tam znów, u licha?!"

*„O, cichym jestem jak wy, o Atrydzi*
– Bełkoce Rydel z zapienioną twarzą –
*Ani mnie kiedy moja małość wstydzi,*
*Ani się myśli tak jak orły ważą – –*
(Tu wydał cichy jęk grobowiec niemy,
Jakby chciał mówić: «Ach, wiemy to, wiemy!»)

Z tej ziemi, którą boski Homer śpiewał,
Niechaj przeszłości szepcą do mnie głosy –
Ludu, co także *pod spód nic nie wdziewał*
I także chodził *z gołą głową, bosy.*

63

Niech mówi do mnie duch helleńskich braci,
Co także jak ja nie nosili gaci...

I gdy tak błądzę po Hellady błoniach,
Dziwne mam wizje przed duszy oczyma:
W tej chwili dają do kolacji w Toniach,
Wszyscy zasiedli – tylko mnie tam nie ma –
Na stole kluski... i jajka sadzone...
A dzieci mówią «Pod Twoją Obronę»...

I wraz otrząsłem się z pogańskich baśni,
Ukląkłem cicho i złożyłem ręce;
I zaraz w sercu stało mi się jaśniej,
I dziękowałem Najświętszej Panience
Za to, że swoich łask mi wciąż użycza
I mnie wysłała tu – nie Cięglewicza..."

Pisane w r. 1907


## LAMENT PANA RADCY
## NAD „BASZTĄ KOŚCIUSZKI"

Pan radca myśli,
Rachuje, kryśli*
   I mruczy: „A to fatalność!
Miejże tu, człeku,
W dwudziestym wieku
   W naszym Krakowie «realność».

Tu nikt nie zgadnie,
Co na łeb spadnie,

* Wariant:
   Smutny Jan Kanty
   Idzie przez Planty

Od czego krzykną mu: «wara!»
Tu każdy kątek
Pełen «pamiątek».
    Ot, nawet plac piwowara!

To istna heca
Z tym gruntem Götza!
    Człek płaci grosik gotowy,
Za swe pieniądze
Może, jak sądzę,
    Hotelik miastu wznieść nowy.

Gdzie tam! Nie dadzą!
«Moralną władzą»
    Otoczą każdy dziś placyk!
Lada Noskowski
Lub Warchałowski
    Rządzi się w mieście jak kacyk!

Z tych panów łaski
Te całe wrzaski,
    Te jakieś baszty, zabytki –
I przez te bunty
Najlepsze grunty
    Chcą zmienić na nieużytki!

Dzieją się cuda!
Ot! Stała buda,
    Pies nie zatroszczył się o to –
Aż w jednej chwili
Coś w niej odkryli:
    To świętość! relikwia! złoto!

«Tu, pod tą gruszką,
Drzemał Kościuszko!»
    Dopieroż robi się skweres!

«A pod tą drugą
K o ł ł ą t a j  H u g o
Załatwiał mały interes!»

Chcą kłaść fundament,
Ci dalej w lament:
«Na Boga! Nie tykaj gruszki!»
I płać ty, człeku,
Po całym wieku
Koszta rebelii Kościuszki!

A to mi racja!
Dziś demokracja,
Nikt w takie głupstwa nie wgląda;
Czy tam Kopernik,
Czy inny piernik –
Kto tego w sklepiku żąda?!*

Na rany boskie!
Te Poniatoskie!
Już kością w gardle mi stają –
Ja jestem kupiec,
Nie żaden głupiec:
Co mam wspólnego z tą zgrają?!

Więc tak się święci
Za moje chęci?
Milsze wam stare rudery?
Człek zdrowie straci,
Wolej dopłaci,
Idźcie do ciężkiej – Kopery!"

Pisane w r. 1909

* Wariant:
Kto tego w hotelu żąda?!

# MODLITWA ESTETY

W wielu rzeczach świat po prostu
Jest podobny do loterii:
Nie wybierasz swego wzrostu
Ani swojej peryferii.

Tak byś wolał czy inaczej,
Chcesz być cienki, chcesz być gruby,
Rośniesz, jak ci traf przeznaczy,
*Prima vista,* ot, bez próby.

Nim się dowiesz, co potrzeba,
O proporcji i o formie,
Spadasz na świat prosto z nieba
W gotowiutkim uniformie.

Jakie system ten ma skutki,
Co wyrasta z tego dalej,
Powiedzmy to bez ogródki,
Widać – choćby po tej sali:

Jednemu policzysz kości,
Na drugiego znów tak padło,
Że aż kapie od tłustości,
Gdzie pomacać, samo sadło,

Jeden – krzywą ma łopatkę,
Drugi, losów tajemnicą,
Tu i ówdzie wdał się w matkę
I chodzi z damską miednicą;

Ta gładziutka jest jak chłopak,
Druga znowu – istna kukła,
Tamta wszystko ma na opak,
Tu jest wklęsła, tam wypukła –

Cały wyrób, bierz go czarci,
Ma fuszerki wszystkie cechy,
Widać – więcejśmy niewarci
Za paskudne nasze grzechy.

Głowy sobie Bóg nie suszy
Nad doczesnym naszym kształtem:
Dzieli po kawałku duszy,
A resztę kropi ryczałtem;

Z byle gliny, choć z zakalcem,
Lepi Stwórca ludzki potwór,
Potem, od niechcenia, palcem
Machnie jeden, drugi otwór,

Zesztrychuje z góry na dół,
Przyklepie cię po ciemieniu
I – marsz na ten ziemski padół
Służyć swemu przeznaczeniu.

Miły Boże! uważ przecie
W swej dobroci niesłychanej,
Toż my żyjem dziś na świecie
W wieku Sztuki Stosowanej!

Dziś, gdy cały świat ocenia
Estetycznej wagę formy,
Stan ten jest nie do zniesienia
I wprost krzyczy o reformy!

Lada mebel dziś nam składa
Skończony – panie! – artysta,
A ten, który na nim siada,
Wygląda – ironia czysta!

To nam w końcu życie zbrzydzi;
Dziś człowiek dobrego tonu
Czasem się po prostu wstydzi
Wejść do własnego salonu!

Toż tam przecie siedzą w niebie
Rafaele czy Van Dycki,
Można by złożyć w potrzebie
Mały kursik estetyki...

Prosimy więc, dobry Boże,
Więcej smaku, więcej gracji,
I w tym ludzkim arcytworze
Bogdaj trochę stylizacji;

Podnosim modły pokorne,
Niechaj twoja ręka szczodra
W linie wężowo-wytworne
Kreśli niewiast naszych biodra;

Niechaj matron naszych biusty,
Polskiego domu dostatek,
Zamiast kształtów glorii tłustej
Będą jako lilii płatek;

A cnota dziewic niewinnych,
O, spraw to, panie nad pany,
Niech ma, zamiast wszystkich innych,
Zapach esencji różanej...

Pisane w r. 1910

# NOWA WIARA

Zewsząd chóry brzmią radosne:
Ma cel wreszcie egzystencja;
Cel, co wskrzesi rajską wiosnę,
A tym celem – A b s t y n e n c j a.

Nazbyt długo ludzkość biedna
Ścigała marę zwodniczą,
Gdy jest droga tylko jedna,
Zgodna z wiedzą przyrodniczą.

Już rozpadły się w kawały
Dawne majaki mistyczne;
Nowe mamy ideały:
Higieniczno-statystyczne.

Zamiast błądzić w ciemnym mroku
Ludzkich instynktów wyzwoleń,
Jedno trzeba mieć na oku:
Z d r o w o t n o ś ć setnych pokoleń.

Chyba wariat jeszcze szuka,
Gdzie drga silnych wzruszeń tętno,
Gdy dziś kreśli nam nauka
Szczęścia ludzkości p r z e c i ę t n ą.

Czegóż więcej – każdy przyzna –
Możesz żądać, dobry człeku,
Patrząc, jak się ta k r z y w i z n a
Dumnie wznosi – w przyszłym wieku.

Już obliczył nam dokładnie
Akademii „były docent”,

Ile za lat tysiąc spadnie
Śmiertelności ś r e d n i procent.

Trzymaj zatem na obróży
Namiętności swoje szpetne:
Będzie prawnuk twój żył dłużej
O dwa zera i trzy setne.

Witajmy więc ludzkość czystą!
Zewsząd pieją już *Hosanna*:
Na wyścigi z onanistą
„Działająca" stara panna;

Lada kiep, co od kolebki
Ani pije, ani... pali,
Afiszuje swoje klepki,
Wprawdzie c z t e r y – lecz ze stali.

W bohaterstwa nowe szranki
Wlecze młodzian puste łóżko:
Żyj lat dziesięć bez kochanki,
Obwołają cię Kościuszką!

I w małżeństwie bez ekscesów!
Kontrolują serca bicie,
Czy pamiętasz wśród karesów,
Że masz stworzyć nowe życie?

Troska sen im z oczu płoszy:
Wielki problem w głowach świeci,
Jak przy m i n i m u m „rozkoszy"
M a k s y m a l n i e płodzić dzieci!

Odmawiajcie, abstynenci,
Higieniczny wasz różaniec,

Niech się mały światek kręci
w ten świętego Wita taniec;

Pijcie wodę w cnym skupieniu,
Ale mnie przechodzi mrowie,
Że gdzieś w trzecim pokoleniu
Znajdzie się ta woda – w głowie...

Pisane w r. 1907

## O TEM, CO W POLSZCZE DZIEIOPIS MIEĆ WINIEN

(Dowiedzieliśmy się z komunikatu Krakowskiej Akademii Umiejętności, iż ta, ku wielkiemu swemu żalowi, nie mogła przyznać nagrody imienia Bar-czewskiego za rok bieżący prof. Aszkenazemu, a to dla jego brzydkiego wyznania, przeciw któremu zastrzegają się wyraźnie statuta fundacji. Nie wszystkim jednak znane jest wiekopomne a skrzydlate słowo prof. Aszkena-zego, zrodzone w następstwie tego wyroku. Mianowicie, skrzywdzony autor *Łukasińskiego* w chwili pierwszego rozgoryczenia miał się wyrazić do jed-nego z najpoważniejszych członków instytucji, prof. Morawskiego, że wobec tego Akademia powinna oglądać nie k s i ą ż k i kandydatów, ale... zupełnie, ale to zupełnie co innego. Jędrne to oświadczenie uczonego historyka na-tchnęło nas do zamknięcia niniejszego zdarzenia w ramy znanej fraszki naszego znakomitego protoplasty, Jana z Czarnolasu.)

Sądziła Akademia dorocznym zwyczaiem,
Kto się w piorze nalepiey odznaczył przed kraiem.
O *praemium* się zabiegał, przez boskiey obrazy,
Tomkowic z Sodalicyey y pan Aszkenazy.
W długie się Akademia spory nie wdawała,
Ieno im obu z sobą do łaźniey kazała,
Iako że tam rozsądzać będzie komisyia,
Kto ma lepsze kondycye y nagroda czyia.
Męże co nayuczeńsze zasiadły u stoła,
A ci dway, z szat rozdziani (iako rzec?) do goła.
Pogląda Akademia, kędy trza, a ono

Barzo nierówno obie skryby podzielono.
Tomkowic stawa śmiele, bo ma rzecz w porządku:
Zasię tamten, Żydowin, skrył się w ciemnym kątku.
„Wżdy – rzeknie prezes – sądząc pomyśleniem zdrowem,
Iakoż mu dawać *praemium* z defektem takowem?"
Zaczem wszystkie iurory dały głos iednaki,
Że on dzieiopis cale ma poważne braki.
Pokraśniał aż Tomkowic, chlubnie odznaczony,
Zmówił krótki paciorek y wdział kalesony.
Aszkenazy zmarkotniał – łza mu w oku błyszcze;
Darmo: co raz człek stracił, tego nie odzyszcze.
Nie mył się biedny długo y iachał tym chutniey:
Nie każdy w Polszcze weźmie po Bekwarku lutniey.

Pisane w r. 1909

## MARKIZA
Obrazek sceniczny*

*Jadwidze Mrozowskiej*

Z odległej kędyś krainy,
Z wieków, co dawno przebrzmiały,
Przyszłam do was w odwiedziny
W rynsztunku mej dawnej chwały.

* Obrazek ten wykonany był w inscenizacji Jadwigi Mrozowskiej w następujący sposób: Sala przyćmiona; światło rzucone reflektorem oświetla estradę, w głębi której znajduje się ciemny ekran. Jako akompaniament muzyczny menuet z *Don Juana* Mozarta. Po pierwszych taktach rozsuwa się zasłona w środkowej części ekranu; ujęta w stylową ramę, ukazuje się postać kobieca ubrana w kostium modnisi dworskiej z epoki Ludwika XIV. Przez parę chwil pozostaje bez ruchu, upozowana jak gdyby na starym portrecie; stopniowo, pod wpływem dźwięków melodii, twarz się ożywia, oko nabiera blasku, cała postać przegina się w rytmicznych poruszeniach. Wreszcie opuszcza ramię i menuetowym krokiem występuje na estradę. Wykonawszy kilka *pas* tanecznych, zaczyna mówić; a to w ten sposób, iż pierwsze strofy deklamacji nieomal padają w rytm melodii. Muzyka zamiera i cichnie zupełnie w ciągu czwartej zwrotki, powraca na chwilę z początkiem dziesiątej i znowu z początkiem szesnastej, odkąd już towarzyszy do końca. W połowie ostatniej zwrotki Markiza krokiem menuetowym cofa się w głąb ramy, z której mówi ostatnie dwa wiersze, po czym znowu stopniowo zastyga w nieruchomość portretu. Zasłona zasuwa się z wolna.

Obca tu jestem, więc staję
Nieśmiało oto i skromnie –
Czy z was mnie który poznaje?
Mówcie, czy kiedyś śnił o mnie?

Czym może kiedy, czasami,
Z kartek pożółkłej gdzieś książki
Wykwitła nagle przed wami
Strojna w róż, muszki i wstążki?

Jam jest Markiza – ta sama,
Znana wam z dawnych powieści,
Ideał: kochanka, dama,
Co razem gardzi i pieści,

Co razem nęci i kusi,
W powabne iskrząc się błędy,
To znów w snach dławi i dusi
Zmorą straszliwej legendy;

Ja, której kaprys korony
Królewskie deptał tą nóżką,
A czasem znowu, szalony,
Paziów przygarniał w me łóżko;

W pochlebstwie od miodu słodsza,
W szyderstwie jak pocisk prędka,
W pieszczocie od bluszczu wiotsza,
To jak stal ostra i giętka;

Ja, której miłosny zakon
Wcielił do kunsztów swych ciemnych
Trucizny subtelnej flakon
I sztylet zbirów najemnych;

Ja, co drobniuchną mą dłonią
Zalotnie przysłaniam oczy,
Śledząc z uśmieszkiem, jak o nią
Krew strumieniami się toczy –

Z salonów moich złoconych,
Z mej gotowalni pachnącej,
Z ogrodów moich strzyżonych,
Z lektyki mojej błyszczącej

Zeszłam tu do was na chwilę –
Ot tak, zachcenie kobiece –
Ot, kaprys jak innych tyle,
Aby, nim rychło odlecę,

Tchnąć ku wam brzmieniem echowem
Minionych wieków piosenki,
Poigrać kuszącym słowem,
Krętym jak loków mych pęki,

Zmienić w majaków gorączkę
Sen waszych nocy spokojnych,
Obudzić w was słodką drżączkę
Pragnień zawrotnych, upojnych;

Rozniecić ognie najświętsze,
Przez które żyję i ginę,
W serc waszych wcisnąć się wnętrze
I bodaj na tę godzinę

Przerobić na m o j e prawo
Dusz waszych pustą zawiłość,
Że życia jedyną sprawą
Jest miłość, ach, tylko miłość!

Że kto u stóp mych wiek strawi,
Najsroższe cierpiąc męczarnie,
Choć wszystką krew z serca skrwawi,
Ten dni swych nie przeżył marnie;

Że jeśli zechcę, odmienię
W słodycz najcięższą niedolę,
Bo jedno moje spojrzenie,
Ach, wszystkie uleczy bole;

Że jeśli szał czyichś rojeń
Me serce podzielić raczy,
Ach, wobec takich upojeń
Cóż szczęście aniołów znaczy!

. . . . . . . . . . . . . . . . . . . . . . . .

Idę już, tak, czas mi w drogę –
Żyjcie szczęśliwi, żegnajcie;
Ja jedno radzić wam mogę:
Kochajcie, tylko kochajcie...

Pisane w r. 1913

## WOLNY PRZEKŁAD Z ASNYKA

*Najpiękniejszych moich piosnek...*

Kochanko moja słodka,
Naucz mnie takich piosneczek,
Żeby ich każda zwrotka
Miała smak twoich usteczek;

Żeby ich każde słowo
W szept się mieniło najsłodszy,

Wciąż powtarzając na nowo
To, co bliziutką rozmową
Dwa serca bredzą trzy po trzy...

Potem wymyślę temat
Sentymentalny ogromnie
I spiszę cały poemat
O tobie, miła, i o mnie.

Wszystko tym razem się znajdzie,
Jak w głowie samo się kleci
Niby w niańczynej bajdzie
Dla troszkę większych już dzieci.

Będzie o Lali królewnie,
Jak miała swego pajaca,
Co płakał, płakał tak rzewnie,
A ona mówiła: „caca";

Będzie i Baba-Jaga,
Wiedźma złośliwa krzynkę,
Co, jak ją rozdziać do naga,
Zmienia się w małą dziewczynkę;

Będą i włoski złotc,
Czesane złotym grzebieniem,
Co najmocniejszą pieszczotę
Sączą cichutkim strumieniem;

Będzie i siódma rzeka,
I siódma góra będzie,
I myśli tęskne człowieka,
Pół świnki a pół łabędzie...

I wiele jeszcze innych
Bajeczek nowych i dawnych,

Tak wiernych, że aż dziecinnych,
Tak czułych, że aż zabawnych.

Nizać chcę ziarko po ziarku,
Aż wzrośnie śliczna książeczka,
Którą nam dadzą w podarku
Twe drogie, słodkie usteczka...


## KAPRYS

Melodia: Delmet, *Les petits pavés*

Ach, niech się święci ta godzina,
W której twój kaprys począł wić
Sympatii naszej złotą nić,
Po stokroć moja ty jedyna...
   O chwilo, słodka chwilo, stój,
   O chwilo, słodka chwilo, stój –
   Błogosławiony kaprys twój...

Jeżeli potrwa dwa tygodnie,
Cóż pozostanie po nim, cóż?
Prócz zamyślenia dwojga dusz,
Co sen miniony śnią łagodnie...
   O, wspomnień, słodkich wspomnień rój,
   O, wspomnień, słodkich wspomnień rój –
   Błogosławiony kaprys twój...

Jeżeli potrwa trzy miesiące,
Ach, to już jest draźliwsza rzecz:
Rozłąki ból gnającej precz
I łzy okrutne, łzy piekące...
   Nim z ócz mych tryśnie gorzki zdrój,
   Nim z ócz mych tryśnie gorzki zdrój –
   Błogosławiony kaprys twój...

Jeżeli potrwa, och, pół roku,
Nawet mi myśleć o tym strach:
W twe oczy z drżeniem patrzę, ach,
Mego szukając w nich wyroku...
   O, snuj się, nitko złota, snuj,
   O chwilo, słodka chwilo, stój –
   Błogosławiony kaprys twój...


## PIOSENKA MEGALOMANA
Dwugłos filozoficzny

Melodia: Delmet, *Exil d'amour*

*Rozpoczyna głos męski z właściwą temu gatunkowi przesadą:*

Wpleceni w uścisk miłosny
I z twarzą złożoną na twarz,
Prześnijmy, o luba, wiek nasz,
Przetrwajmy od wiosny – do wiosny!
Wpleceni w uścisk miłosny...

Niech płyną koło nas godziny,
Niech płyną w przestrzenny gdzieś mrok –

79

Cóż znaczy godzina czy rok
W przesłodkich objęciach jedynej!
Niech płyną koło nas godziny...

Sekundą nam będzie pieszczota,
Kwadransem oddania szał –

*Tutaj tenor, mimo całej bezczelności, zawahał się na chwilę: natychmiast
odbiera od niego melodię sopran, rozlewając skarby najczystszego liryz-
mu:*

...Ach, byle chronometr ten trwał
Tak długo, jak serca ochota...

*Razem:*

Sekundą dla nas pieszczota!

*Sopran prowadzi dalej melodię z rosnącym zapałem i siłą głębokiego prze-
konania:*

Wpleceni w uścisk miłosny
I z twarzą złożoną na twarz,
Prześnijmy, o luby, wiek nasz,
Przetrwajmy od wiosny – do wiosny!

*Razem:*

Wpleceni w uścisk miłosny...

*Akompaniator, ratując sytuację, szaleje po swoim klawicymbale w niesłycha-
nych arpedżiach i glissandach:*

. . . . . . . . . . . . . . . . . . . . . . . . . . . . .

. . . . . . . . . . . . . . . . . . . . . . . . . . . . .

*Sopran, nieco zamglony:*

Ach, byle chronometr ten trwał...

. . . . . . . . . . . . . . . . . . . . . . . . . . . .

*Razem:*

Sekundą nam będzie pieszczota...

*(Da capo ad libitum.)*


MADRYGAŁ SPOD CIEMNEJ GWIAZDY

Chciałbym przy pani ...uchnie
Być takim skromnym amantem,
Co go się puszcza przez kuchnię,
Zanim się puści go kantem.

Ot, cichym pragnieniem mojem
(Nie dla pieniężnych korzyści)
To być w jej domku lift-boyem
Lub drabem, co schody czyści.

Sprzątałbym z wielkim hałasem,
Wstawał ze wszystkich najraniej,
By się w nagrodę choć czasem
Przytulić do jaśnie pani.

Obmywszy z kurzów me ciało,
Jak można najidealniej,
Pukałbym potem nieśmiało
Do jej bieluchnej sypialni.

Z emocji leciutko dyszę
(Zwyczajnie, osoba w wieku),
Aż szept najdroższy usłyszę:
„No, właźcież prędzej, człowieku!"

Z szacunku słowa nie gadam,
Liberię szybko zdejmuję,

Kładę się w łóżko i: „*Madame
est servie*", głośno melduję...

Powiedz, mój stróżu-aniele,
Czy to zuchwalstwem zbyt dużem,
Marzyć, choć czasem, w niedzielę
Szczęście anioła ze stróżem?...


## OFIARUJĄC EGZEMPLARZ «ŻYWOTÓW PAŃ SWOWOLNYCH»

Ieśli, miłeńka, słodkie oczy twoie,
Mknąc po buxtabach tey anticzney xięgi,
Bogday raz uźrzą w iey kartach nas dwoie,
Nie żal mi będzie przydłuższey mitręgi:
By spektr choć zbudzić twey lubey ochoty,
Wartoć iest wydać z siebie siodme poty.


## WIERSZYK, KTÓRY SAM AUTOR UWAŻA ZA NIE BARDZO MĄDRY

Niech mi kto wreszcie powi –
diabłów kroć sto tysięcy! –
Czemu się tak nerwowi
Stajemy coraz więcej?

Długom to zgłębiał, przecie
Doszedłem kwintesencji:
W tym zło, że na tym świecie
Nic nie ma konsekwencji.

Rzecz jedna sama w sobie
Nie ciągle jest jednaka,

Lecz bywa w różnej dobie
To taka, to owaka.

Bywają dni, że człowiek
Strasznie jest siebie pewny,
Rad, od otwarcia powiek,
Jak prosię w deszcz ulewny.

Przed lustrem wówczas staje
I sam jest z siebie dumny,
I sam się sobie zdaje
Przystojny i rozumny.

Na drugi dzień, przeciwnie:
Ta sama, ot, osoba,
A wszystko się w niej dziwnie
Znów człeku nie podoba.

Pysk mu się widzi krzywy,
Wiersze haniebnie głupie
I bardzo jest zgryźliwy,
I sam ma siebie w pogardzie.

Nie macie wprost pojęcia,
Jak to jest źle na nerwy,
Bez chwili odpoczęcia
Tak huśtać się bez przerwy.

Ba, gdyby się to dało
(To byłoby najprościej)
Wprowadzić jakąś stałą
Podstawę wszechwartości!

Tak głowę dręczę biedną,
Gdy myśl się jakaś czepi:
Ach, czyż to tylko jedno
Mogłoby tu być lepiej...

## LIST PRYWATNY DO KORNELA
## MAKUSZYŃSKIEGO
nakłaniający go do spożycia wieczerzy u Żorża

Zatem namawiasz mnie, miły Kornelu,
Ażeby kropnąć felieton dla «Słowa»?
Czemu nie? Owszem, drogi przyjacielu,
Zbyt jest zaszczytną dla mnie ta namowa,
Bym się nie skusił zasiąść z Jaśnie Państwem
Pomiędzy jednym a drugim pijaństwem.

Temat? Ach, temat!... Ty, mistrzu mój łysy,
Coś włosy stracił w pielgrzyma włóczędze,
Coś nos swój wściubiał za wszystkie kulisy
I z wszech stron ziemską penetrował nędzę,
Ty wiesz, że w tym jest felietonu sztuka,
Że pióro samo, kędy chce, go szuka.

Połykać chciwie życia chleb powszedni,
Sok wszystek wyssać by z najlichszych zdarzeń,
Krwią własną w nektar go zaczynić przedni,
Wzmocnić zaprawą z własnych snów i marzeń
I w kunszt zmieniwszy wydać drugą stroną,
Wołając: „Życia chcecie? Oto ono!.."

Myśli zmęczone rozpuścić samopas,
Niech senne błądzą w ulicznym rozgwarze,
Niech w każdym szynczku przystaną na popas,
Pomarzą tęsknie w każdym lupanarze
I niech wędrówki swojej znaczą szlaki
W atramentowe kreśląc się zygzaki...

Toć już szczęśliwie mija drugi tydzień,
Jak pilnie badam tętno tej stolicy:
Ptaszki śpiewają nam swoje dobrydzień,
Gdy nas przed Żorżem ujrzą na ulicy,

Słoneczko wita swym pierwszym promykiem,
Na który w odzew bucham szczęścia rykiem.

Drugi już tydzień pędzę w tym przybytku,
Gdzie nafta mieni się w wino szampańskie;
Literat biedny, przywykam do zbytku,
Dzieląc bratersko te igraszki pańskie;
Cud kanaeński witam duszą całą
Myśląc pobożnie: „Ach, byle tak trwało!..."

Ach, gdybyż w słowach móc oddać zupełnie
To, co w pijackim łbie gzi się cichutko!
Gdybyż pochwycić tej radości pełnię,
Co świat obrębia tęczową obwódką
I myśl uskrzydla tak, aż zacznie, bosa,
Pląsać, „po desce" krokiem Dionizosa...

Och, gdybyż zakląć te, co w nas są wtedy,
Nieopisane uśmiechy dziecięce,
Te zadumania godne ksiąg *Rigwedy*,
Spojrzenia obce pożądania męce,
Co rozpinają ponad płcie odmienne
Jakiejś czystości girlandy promienne...

Gdybyż wyśpiewać móc ten dziw po dziwie!
Te zasłuchania nad wieczności tonią,
Gdy rzępolony *Walc nocy* fałszywie
Brzmi nam zaświatów kosmiczną harmonią
I stapia z naszym się jestestwem całem
Bijąc w strop szklanny potężnym chorałem...

Ach, gdybyż oddać te świty przecudne,
Walczące z jaśnią rozet elektrycznych,
Gdy światło z światłem igra dziwne, złudne,
Sączy się z wolna w strumieniach mistycznych

Albo wałęsa się w promykach mdławych,
Śmiech płosząc nagle z twarzy zielonkawych...

A więc te piękne, jasne lwowskie noce,
Zbyt krótkie w życiu, niech ożyją w pieśni;
Niech czar ich wdziękiem rytmów zamigoce,
W słów szumie niech się bodaj ucieleśni
I niech na chwałę brzmi owej świątyni,
W której się takie dobre rzeczy czyni...

I chcę tam z tobą jeszcze iść, Kornelu,
Jeszcze raz z wami snuć z a b a w ę  w  s z c z ę ś c i e.
Tam nam przystało wytrwać, przyjacielu,
Z Rzeczywistością zmagać się na pięście,
Tam pójdźmy razem na  g w i a z d  naszych  p o ł ó w,
Aż nas prześwietlą w dwu ziemskich aniołów!

Lwów, 6 maja 1912


GDY SIĘ CZŁOWIEK ROBI STARSZY...

Gdy się człowiek robi starszy,
Wszystko w nim po trochu parszy-
                                   wieje;
Ceni sobie spokój miły
I czeka, aż całkiem wyły-
                                   sieje.
Wówczas przvchodzą nań żale,
Szczęścia swego liczy zale-
                                   głości,
I mimo tak smutne znamię,
Straszne go chwytają namię-
                                   tności...

Z desperacją patrzy czarną
Na swe lata młode zmarno-
                    wane,
W wspomnień aureolę boską
Pręży myśli swoje rozko-
                    chane...
Z żalem rozważa w swej nędzy
Każde „nicniebyłomiędzy-
                    nami",
Każdy nie dopity puchar,
Każdy flirt młodzieńczy z kuchar-
                    kami...
Wspomni z jakąś wielką gidią
Swe gruchania, ach, jak idio-
                    tyczne,
I czuje w grzbiecie, wzdłuż szelek,
Jakieś dziwne prądy elek-
                    tryczne...
Jakąś gęś, z którą do rana
Szukali na mapie Ana-
                    tolii,
Jakiś powrót łódką z Bielan,
Jakiś wieczór pełen melan-
                    cholii...
Gdybyż, ach, snów wskrzesła mara,
Dziergana w rozkoszy ara-
                    beski,
Gdybyż bodaj raz, ach gdyby
Sycić swą CHUĆ jak sam Przyby-
                    szewski!...
...I wdecha zwiędłe zapachy
Nad swych marzeń trumną nachy-
                    lony,
I w letnią noc, w smutku szale
Łzami skrapia własne kale-
                    sony...

# DEDYKACJA

(Pisana po ukończeniu wydawnictwa Moliera w r. 1912 w sierpniu: miesiącu i roku ukazania się niezapomnianych felietonów p. F. H. Esika.)

Skończyłem już robótki
Te, com miał w życiu grubsze,
I mogę, czas choć krótki,
Spocząć na własnym kuprze.

Miesięcy pięknych sporo
Z jeniuszem żyłem górnie,
A teraz znów z pokorą
Powracam między durnie.

Znów ziemio, twój-em cały,
Znów jestem dawnym Faustem,
Gotowym twe specjały
Łykać pełniutkim haustem.

Dajcie mi życia czarę!
W odmiany mej przededniu,
Choć felietonów z parę
O *Życiu nocnym w Wiedniu!*

Ach, nuć mi, nuć, słowiku,
Pieśń narkotyczną bytu,
Ty, co mi wnet, Esiku,
Urośniesz w ogrom mitu!

Ach, nuć mi, Ferdynandzie,
Twe *süssen Himmelslieder,*
Aż oko łzą mi zańdzie:
*Die Erde hat mich wieder!*

## SPLEEN

Smutek w sercu moim mieszka
I tak gryzie mnie jak weszka.
Gryzie duszę moją biedną,
O co? To już wszystko jedno.
Przyczyn jest ogromnie wiele
Na duszy jak i na ciele.
Coraz rzadziej mi się zdarzy,
Bym uśmiechnął się na twarzy,
Ciągle myślę aż do skutku
O moim dotkliwym smutku.
O, jak mnie to czasem nudzi
Patrzeć na cierpienia ludzi.
Czasem się nieszczęście stało,
Że dzieciątko robi biało.
Ja się na to krzywię troszki
I daję skuteczne proszki,
Po których mówię, że ono
Będzie robiło zielono.
Jeszcze bardziej bez nadziei
Pędzę życie przy kolei.
Z tą koleją bywa różnie:
Czasem komuś członki urznie,
To znów dadzą znać o zmierzchu,
Że ktoś flaki ma na wierzchu,
Wielka bywa rozmaitość
Rzeczy, które budzą litość.
Ja się znowu troszkę krzywię,
Jadę na lokomotywie,
To znów, naśladując giemzę,
Skaczę sobie w lot na bremzę,
Myślę często tylko przy tem,
Żeby już być emerytem.
Innych zmartwień też jest sporo:
Lewą nogę rok mam chorą,

Choć czyniłem to i owo,
Żeby ona była zdrową.
Ale najcięższa choroba
Jest dla mnie . . . . . . . . . . . . . . . . .
. . . . . . . . . . . . . . . . . . . . . *

Pisane w r. 1912


## POCHWAŁA WIEKU DOJRZAŁEGO

Marzę często o tym wieku,
Gdy zwierzę ginie w człowieku;
Gdy już żadna z ziemskich chuci
Władzy Ducha nie zakłóci.
Jak to musi być przyjemnie!
Nic poza mną, wszystko we mnie:
Zmysłów swoich gęstą pianę
Zbierasz sobie jak śmietanę
I rzucasz (czy to nie prościej?)
Na ekran Nieskończoności.
Oczyszczony duch ulata
W harmonijne kręgi świata,
Dokoła człowiek spogląda,
Nic nie pragnie, nic nie żąda,
W ciągłej ekstazie na jawie
Żyje się – za bezcen prawie.
A czas! tu dopiero zyski:
Żaden ciała popęd niski
Roboczego dnia nie kurczy,
Nie zawadza w pracy twórczej;

---

* Dokończenie tego wiersza dla szczególnych przyczyn nie mogło być zamieszczone; życzliwy czytelnik
znajdzie je w pośmiertnym wydaniu pism poety, którego terminu nie możemy na razie oznaczyć.
Zresztą, westchnienie wyrażone w tym wierszu ziściło się; po dziesięcioletniej służbie autor jest
obecnie emerytowanym lekarzem kolejowym. (Przyp. wydawcy [autora].)

Z pokoju, mocą tajemną,
Nie wygania cię w noc ciemną;
Gdzież tam! Z niebiańskim spokojem
Siedzisz przy biureczku swojem,
Huczy, dymi samowarek,
Ty równiutko jak zegarek,
Zawsze z jednaką ochotą,
Nizasz myśli nitką złotą,
Uprawiasz swój interesik
Pogodnie jak drugi Esik.
Od czasu Ducha narodzin
Dzień podwoił liczbę godzin!

A cóż dopiero w podróży!
Żadna chwila się nie dłuży;
Ląd czy morze, ty bez przerwy
Zawsze masz spokojne nerwy;
Nie zachodzisz nigdy w głowę,
Jak blisko miasto portowe;
Nie stajesz calutki w pąsie
Przy podejrzanym anonsie;
Bez żadnej myśli ubocznej,
Jak prosty świadek naoczny,
Badasz sobie obce kraje,
Zwyczaje i obyczaje;
Oglądasz domy, ulice,
Zwiedzasz śliczne okolice,
Bez kłopotów, bez przykrości,
Bez dwuznacznych znajomości:
Nie rozumie ta dzicz młoda,
Co to za wściekła wygoda.

Cóż to za przesąd zaiste,
Ba, urągowisko czyste,
Ta niby-prawda utarta,
Że tylko młodość coś warta!

Przypomnij sobie, człowieku:
I czym ty byłeś w tym wieku?
Ot pędziwiatr, dureń młody,
Ślepe narzędzie przyrody,
Wszędzie gotowe po trosze
Wściubić te swoje trzy grosze;
W szaleństwie gorszy od źwirząt:
Wprost już nie człowiek, lecz przyrząd!
I co taki wie o świecie,
O życiu czy o kobiecie?
Czy w tym pustym łbie się mieści,
Co znaczy powab niewieści?
Ta harmonia niesłychana
Po to od Boga jej dana,
By iść przez świat niby święta,
Uwielbiana i nietknięta,
Obca wszelkim ziemskim szałom,
Wieść ludzkość ku ideałom!
Czy taki młokos to czuje?
Czy zrozumie, uszanuje?
On, co żyje jedną chętką:
D u ż o,  b y l e  j a k  i  p r ę d k o!

Inna rzecz, gdy już w nas cudnie
Nieczystość wszelka wychłódnie.
Wówczas, ach, wówczas dopiero
Wraz z tą najpiękniejszą erą –
Wielu z panów mi to przyzna –
Żyć rozpoczyna mężczyzna:
Gdy z płci swojej niewolnika
Zmienia się w pana, w zwierzchnika;
Gdy wolny od grubszych robót
DUCH zażywa pełni swobód.
Czy zrozumie młoda głowa,
Co to na przykład rozmowa?

Gdy dwie płcie, zgoła odmienne,
Wymieniają myśli cenne;

Słowo z słowem igra, skrzy się,
Fruwa jak piłka w tenisie,
Czasem leciutko dotyka
Misternego dwuznacznika,
To paradoksem się mieni,
To liczko wstydem spłomieni;
Któż mistrzem w takiej rozmowie?
Tylko dojrzali panowie!
A młody? Głupie to, płoche,
Tylko pobrudzi pończochę,
Bąka coś, pożal się Boże,
To znów kwaśny, nie w humorze,
Jedna myśl go ściga wszędzie:
Będzie... z tego czy nie będzie.
Nigdym pojąć nie był w stanie,
Jak to może bawić Panie.

Słowem, nie przesadzę wcale:
W podróży czy w kryminale,
Przy pracy czy przy zabawie,
W każdej sytuacji prawie,
Czy przy politycznej misji,
Czy w teatralnej komisji,
Wiek dojrzały ma, bez blagi,
Tak oczywiste przewagi,
Że życzę wam, bracia mili,
Byście go rychło dożyli.

## ZDARZENIE PRAWDZIWE

Siedząc żałośnie nad bakiem
Dumałem o życiu takiem:
Żeby to tak było można,
By każda chęć płocha, zdrożna
Była ode mnie odległa,
By myśl moja zawsze biegła
Ku zacności, ku dobremu
I służyła tylko jemu.
I wciąż bym się doskonalił,
Tak żeby mnie każdy chwalił.
Ale, jak to zwykle bywa,
Że krótko trwa chęć poczciwa,
Jakoś mi to potem przeszło
I, co gorsza, się obeszło.

Pisane w r. 1911


## W KARLSBADZIE

Marzyło mi się we śnie,
Że byłem ptaszkiem małym:
Wstawałem bardzo wcześnie,
Zarówno z dzionkiem białym;

W czyściutkim, jasnym zdroju
Pluskałem dzióbek potem
I w adamowym stroju
Grzałem się w słonku złotem.

Robaczków drobnych kilka,
To było me śniadanko,
A potem – szczęścia chwilka
Z samiczką, mą kochanką.

I żyłem rad ogromnie
Wśród lubych tych igraszek,
I każdy mówił o mnie:
Cóż to za miły ptaszek!

Tak mi się w nocy śniło,
Nim sen mi umknął z powiek,
I bardzo mi niemiło
Zbudzić się jako człowiek...

\* \* \*

Jeszcze na dworze szaro,
A już jak dobra wróżka
Dziewczę niemiecką gwarą
Za łeb mnie ciągnie z łóżka.

*Herr Doktor! schon ist sechse –*
Mówi ściągając koce;
*Hol' Teuf'l dich, alte Hexe –*
Z wdzięczności jej mamrocę.

O, biedne moje kości,
Zgiąć was się próżno silę;
O, biedna ty, ludzkości,
I za cóż cierpisz tyle!

Gdzieżeś jest, gdzieś, niebogo,
Młodości ma kochana,
Gdym władał każdą nogą
Już od samego rana!

Gdym stąpał lewą, prawą
I myślał w mym obłędzie,
Że to me święte prawo,
Że to tak zawsze będzie!...

* * *

Słoneczko pierwsze cienie
Ledwie na ziemi kładzie,
A ja już me cierpienie
Wlokę po promenadzie.

Cóż tu za masa ludzi!
Cóż za zgiełk! Boże święty!
Jak tu się nikt nie nudzi,
Jak każdy jest zajęty!

Mężczyźni w sile wieku
Z minami tęgich zuchów:
Ach, pociesz się, człowieku,
Patrząc na tylu druhów!

Ten, ów, na lasce wsparty,
Każdy przy swoim kubku,
I kroczą w ciżbie zwartej
Półdupek przy półdupku...

Jak wszystkim jedno w głowie,
Jedną myśl każden pieści:
I niechże mi kto powie,
Że życiu braknie treści!

Jak tutaj się ocenia,
Jak tu się staje jasne,
Że celem wszechstworzenia
Jest chronić zdrowie własne!

I z łezką rzewną w oku
Pokornie staję w rzędzie,
Ślubując, iż co roku
Odtąd tak zawsze będzie...

*     *     *

O, czysty, jasny zdroju,
Łagodnie alkaliczny,
O, źródło ty pokoju,
Nektarze ty mistyczny,

O, boski darze nieba,
Co wabisz nas rokrocznie,
Ileż nabłądzić trzeba,
Nim się przy tobie spocznie!

Kto w tobie usta zmacza,
Ten czuje w tym momencie,
Jak mu się przeinacza
Wszechziemskich spraw objęcie;

Wraz w piersi jego wzbiera
Zaświatów jakieś tchnienie
I życia rytm zamiera
Na jedno okamgnienie...

Kształt bliski w dal ucieka,
Kolorów tęcze blednią,
Opuszcza duch człowieka
Ziemi skorupę biedną.

Na mgławej płynąc fali
W obrazy senne patrzy,
Co gdzieś się topią w dali,
W cień jakiś coraz bladszy...

Tak u mühlbruńskich zdroi,
Wmieszany w ciżbę gwarną,
Zgłębiam tajń duszy mojej
Wieczności tchem ciężarną;

I choć dzieweczka młoda
Dłoń mi podsuwa z kubkiem,
Dziwno mi, że ta woda
Mocno smakuje trupkiem...

W Karlsbadzie, we wrześniu 1911 r.

## POLAŁY SIĘ ŁZY ME CZYSTE, RZĘSISTE...

Chce mi się pisać wiersze,
Jak psipsi dziecku chce się;
Słóweczko rzucam pierwsze,
Może mi coś przyniesie.

Może i inne, liczne
Popłyną za nim ciurkiem,
Floresy kreśląc śliczne
Pod skrzętnym moim piórkiem.

Może wytrysną ze mnie
W obrazków dziwnych rządek,
Po które bym daremnie
Wysyłał mój rozsądek...

Zawszeć to duszy zdrowiej –
I choć nań szemrzą różni,
Lżej iść jest pielgrzymowi,
Gdy w drodze się wypróżni...

Ach, tak, pielgrzymem jestem,
Co smętną podróż kończy
I utrudzonym gestem
Kuli się w swej opończy;

Wśród ulic pokręcenia
Błądzę po mieście obcem,
Brnę poprzez mgły wspomnienia,
Gdym żył tu młodym chłopcem;

Patrzę w niknące szlaki,
Uśmiecham się do środka,
A każdy uśmiech taki
To jakby jedna zwrotka.

Patrzę z mych lat dojrzałych
W przeszłość spowitą mgłami
I z oczu posmutniałych,
Ach, psipsi robię łzami...

W Paryżu w marcu 1912 r.


SPOWIEDŹ POETY

Kiedy za oknem śnieg prószy
Lub szemrzą jesienne deszcze,
Naówczas w głąb własnej duszy
Chmurni wpatrują się wieszcze.

Myśl ich szybuje skrzydlata
Hen, nad wszechbytu gdzieś progiem,
A duch wyniosły się brata
Z sobą jedynie i z Bogiem.

Rozwiej się jakaś otwiera
Nad niebios błękity szersza –
A skutek: u Gebethnera,
Po kop. pięćdziesiąt od wiersza.

I mnie, choć biorę mniej słono,
Zdarza się w nocy czy za dnia,
Że lica żarem mi spłoną,
Gdy duch sam siebie zapładnia;

Że lecę w nieziemskie kraje
Ze skrzydeł dwojgiem u ramion,
I krótko mówiąc, doznaję
Natchnienia klasycznych znamion.

Lecz, ach, gdy pruję powietrze,
W sferyczną wsłuchany ciszę,
I duch mój z wolna na wietrze
Nad jaźnią mą się kołysze;

Gdy spojrzę z kresów wieczności
Na moją nędzę przyziemną,
Gorzki żal w piersi mej gości
I w oczach od łez mi ciemno.

Im bliżej mi już do granic
Przelotnej ziemskiej pielgrzymki,
Tym bardziej w sercu mam za nic
Te moje mizerne rymki;

Młodości rozmach bezczelny
W chłodną rozwagę się zmienia
I w duszy, przedtem tak dzielnej,
Lęgną się hydry zwątpienia;

Myśli w pytajnik się pletą
I w głowie zamęt mi czynią,
Czy jestem bożym poetą,
Czy tylko zwyczajną świnią?...

Czy jestem tańczącym faunem
Na gaju świętego zrębie,
Czy tylko cyrkowym klaunem,
Co sam się pierze po gębie?...

Czym owoc duszy mej rodził
W żywota pobożnych mękach,
Czym tylko figlarnie chodził
Po jasnym świecie na rękach?...

Czy, jak mi radził pan Galle,
Byłem jak Byron i Dante,
Czy tylko w pustoty szale
Składałem śpiwki galante?...

I duch mój sztywne ramiona
Pręży w mrok szary i mglisty,
I w piersiach łka coś i kona,
I chwytam za papier czysty.

Po głowie mi się coś roi,
W sercu coś kwili, coś gęga,
I śnię już w tęsknocie mojej,
Że się coś „serio" wylęga.

Ale na próżno się silę,
Czas trawię na wzlotów próbę,
Na papier płyną co chwilę
Słowa niechlujne i grube.

Wdzięczą się do mnie tak świeże,
Jak piersi młodych dziewczątek,
I chęć obłędna mnie bierze
W mych natchnień wcielić je wątek.

101

Szeregiem mienią się długim
Niby błyszczące klejnoty
I chciałbym, jedno po drugim,
Na łańcuch nizać je złoty.

Kuszą mnie czarem niezdrowym:
Im które z nich jest plugawsze,
Tym bardziej w kształcie spiżowym
Chciałbym je zakuć na zawsze.

I patrzę na swoje płody,
I żądzą przewrotną płonę,
I ryczę jak orang młody,
Gdy gwałci polską matronę.

Próżno się kajam i bronię,
Dręczony pokus torturą,
Próżno w dróg mlecznych ogonie
Oczyścić chciałbym me pióro.

Archanioł, co z mieczem stoi
Przy świętym poezji chramie,
Nie wpuszcza piosenki mojej
I mówi: „Pójdziesz, ty chamie!"

I tak się tułam po świecie,
I żal, i smutek mnie dławią,
Żem jest jak nieślubne dziecię,
Z którym się grzeczne nie bawią...

Trudno, choć dola ma twarda,
W bezsilnej miotać się złości:
Zostaje dumna pogarda
Lub apel do potomności;

A jeślim gwary ojczystej
Choć jeden przysporzył klawisz,
Ty mnie od hańby wieczystej,
O mowo polska, wybawisz!


## W SZTAMBUCHU

Ieśli, nad insze dziewko urodziwa,
Lat mnogich szczęsną przecirpiawszy dolę,
Zasiędziesz wreszcie, matrono szedziwa,
W uciesznych wnucząt zaufanem kole,

Gdy będziesz gwarzyć wśród czeladki oney
O dawnych woynach, fortycach warownych,
O Wiśle rzyce, het od krwie czerwoney,
Y gwałtach niewiast cnotami szacownych,

Rzekniy, iż pośród rycerskiey gromady
Więcej niż groty, śrapnyle siarczyste,
Niż baionetów nieprzychylne zwady,
Zła naczyniły twe oczki strzeliste;

Y że okrutniey nad gromkie kanony,
Nad wybuchliwe miniery taiemne
Brzmiał, wierę, tamu twoy głosek pieszczony,
Komu twe czucia wieścił niewzaiemne.

Cóż bowiem ważą srogie ludów waśnie,
Cóż rzeźby krwawe y światów zniszczenie
Naprzeciw sercu, co popadło właśnie
W naysłodszych ogniów lube zachwycenie?

Iakoż się nie ma zdać błaha y pusta
Ludzka obawa śmiertelney zaguby

Temu, co bacząc twe różane usta,
Daremnie z chęci obumiera lubey?

Przeminą iedni, drudzy zasię przydą,
Iako rokrocznie ruń świeża się pleni:
Wiecznie trwa ieno przemożny KUPIDO,
Co IEYMOŚĆ PANNY dziś służką się mieni...

Cracoviae, 22 Novembris 1914,
wrzkomo szturmowanej fortycy
krakowskiej dnia szóstego.

## WYJAŚNIENIE TOWARZYSKIE
(Z korespondencji prywatnej)

Gdy się po łóżku tulam porą nocną,
W zwodnych majaków rzucony bezdroża,
Widzę twą postać dużą, gibką, mocną;
Przysiadasz czasem na krawędzi łoża
I patrzysz na mnie twym wzrokiem zwycięskim,
Nieustraszonym, dumnym, prawie męskim.

I pod tym wzrokiem zdradliwszym niż wino
Myśl mi się plącze w widzeniu wpółsennym
I j a się czuję bezbronną dziewczyną,
A tyś kochankiem snów moich promiennym,
I w rozmodleniu cichym na twe łono
Skłaniam mą psyche nagle skobieconą...

I kędy dłoń twa na mnie się położy,
Wraz wykwitają mi niewieście wdzięki:
Ramionko linią nieśmiałą się trwoży,
Piersi tryskają w półdojrzałe pęki,
Oczu przejrzystych lśni się otchłań modra,
Pieściwą falą spływają me biodra...

104

I wszystkie lęki i wstydy dziewczęce,
Duszy i ciała nietknięte oazy,
Wszystko, ach, wszystko oddaję ci w ręce,
Spowijam w pieszczot bezładne wyrazy
I kształt zaplatam mój wiotki i żeński
O ciebie, cudny efebie helleński...

Spod ciężkich powiek, z łagodnym uśmiechem,
Opuszczasz ku mnie źrenice świetliste
I pierś ma staje się nabrzmiała grzechem,
I ciało moje, jak górski śnieg czyste,
Przeczuciem CIEBIE dygota jak w febrze
I niemo swego dopełnienia żebrze...

Tchnienie twojego oddechu upalne,
Ust twoich pieczęć czuję rozgorzałą
I zanim owo „nie..." sakramentalne
Zdołam wyjęknąć – naraz – – już się stało!
O słodka przemoc! – wpółotwartą bramą
Runęłaś we mnie, Rozkosz, Szczęście samo...

I nagle, nagle... spazm... i łkanie krótkie...
I serce staje w strasznym Zachwyceniu – –
I szczęście, szczęście, straszliwe, cichutkie,
Drżenie mdlejące rozpacznie w twym drżeniu...
Twe usta... och, ty kochanku jedyny...
...za wiele... lituj się swojej dziewczyny...

...ach, co to było?... czy jeszcze wciąż marzę...
Skąd ja się budzę nagle w twym objęciu?...
Dlaczego mamy od łez mokre twarze,
Czemu ty, niby drżącemu dziecięciu,
Szepcesz kołysząc mnie słodko, powoli:
„Nie płacz, maleńki, nie, nie, już nie boli..."

I rankiem zrywam się z mych nocnych widzeń,
I chodzę cichy, senny przez dzień cały,
Pełen tajemnic lubych i zawstydzeń,
I wzrok twym oczom umykam nieśmiały –
A pani wówczas, pełna niepokoju,
Pyta: „Co panu, drogi panie Boyu?..."


## BEZ TYTUŁU

> Przemawiał dziad do obrazu,
> A obraz do niego ani razu.
> (Motto ze starej legendy)

O ty dziadku, mój druhu serdeczny,
Coś tak długo mówił do obrazu,
A zaś obraz (och, symbolu wieczny)
Nic do ciebie nie rzekł ani razu.

Pójdźmy społem, stary marzycielu,
Ot, przed siebie, wszak świat jest dość duży.
Z dłonią w dłoni i w serca weselu
Śpiewać sobie, biedni trubadurzy,

O tej naszej cichutkiej tęsknocie
Krwi się falą cisnącej do gardła,
O drobniutkiej, przymilnej pieszczocie,
Co przedwcześnie w smutku obumarła,

O tym szczęściu, co od nas ucieka,
O tym, które mijamy w pośpiechu,
I o sercu niewinnym człowieka,
Tak dziecięco nieświadomym grzechu.

O tej tkance prześlicznej półzdarzeń,
Co tkwią w życiu zaledwie na tyle,

By się kanwą stać leciuchnych marzeń
Fruwających het, w słonecznym pyle,

I o tobie, pachnący mój kwiecie,
Przez naturę wypieszczony na to,
By storczykiem był dziwnym poecie,
Zanim komuś tam będzie sałatą.

Idźmy śpiewać! Niech w mroku przepadnie
Cała prawdy prawdziwość obrzydła:
Trzeba myśli wszyściutkie tak ładnie
W bibułkowe poubierać skrzydła,

Trzeba włożyć im pierrotów kryzy,
Mąką ślady zamazać męczeństwa
I w żelazne zacisnąć je ryzy,
By wciąż górne C brały błazeństwa,

By, za gors się wciskając natrętnie,
Wciąż cię śmiechem łechtały pod paszki,
Ciebie, śmiać się lubiącą tak chętnie,
Arcywzorze Kolombiny-Laszki,

Żeby każda w swych pragnień wyrazie
Była tkliwa, przewrotna i rzadka –
Może wówczas, mój cudny obrazie,
Się odezwiesz do swojego dziadka...


PYTAJĄ MNIE SIĘ LUDZIE...

Pytają mnie się ludzie,
Czemu, lenistwem uwiedzion,
Ustałem w miłym trudzie
Łechtania polskich śledzion;

107

Czemum zaniedbał struny
Mej „ironicznej" lutni,
By zgłębiać dawne runy
Lub ziewać coraz to smutniej...

Źle czynię, bracia moi,
Lecz zważcie w zamian, proszę,
Że jeśli rzecz tak stoi,
Wasza w tym wina po troszę;

W iskier krzesaniu żywem
Materiał to rzecz główna:
Trudno najtęższym krzesiwem
Iskry wydobyć z substancji miękkiej i podatnej...

W tej generalnej klapie
Każdy niech s o b i e leży:
Ja, z książką, na kanapie,
Wy, z wdziękiem, w trawce świeżej;

A za pociechę może
Służyć jednemu z drugim,
Że nas tymczasem orze
HISTORIA swoim pługiem...

23VIII 1916

# Słońce jesienne
# (Tryptyk)

*Dwie są rzeczy mniej smutne niż inne*
*na tym świecie przepojonym łzami:*
*albo rymy dobierać niewinne,*
*lub usteczek dobierać ustami;*

*albo wgryzać się z radosnym znojem*
*w myśli tkankę i sok z niej wysysać,*
*albo serce drgające na swojem*
*słów kłamliwych pieszczotą kołysać.*

*(Fragment z nie wydanego rapsodu historycznego pt. „Leszek Biały".)*

# 1. EXPIACJA

Jest czas rodzenia i czas umierania; czas sadzenia i czas
wycinania tego, co sadzone; czas rozrzucania kamieni i
czas zbierania kamieni; czas...

*Eccl. III, 2-8*

I przyłożyłem do tego serce moje, abym poznał mądrość i
umiejętność, szaleństwo i głupstwo; alem doznał, iż to jest
utrapieniem ducha.

*Eccl. I, 17*

O paniach, co mnie kochały,
serdecznie nieraz myślę;
mają swój kącik mały,
lecz ciepły w mym umyśle.

Zachodzę tam czasami,
gdy chwilkę taką utrafię,
i patrzę prawie ze łzami
na zblakłe fotografie.

Patrzę z uczuciem winy
w wasze niknące twarze,
o wy, upojeń godziny
na życia mego zegarze...

Ach, jest czas obłapiania,
 powiada Eklezjasta *(III, 5),*
jest czas, gdy świat przesłania
potęgą swą niewiasta;

gdy ciało w słodkim uścisku
straszliwa rozkosz zesztywnia
i byt, jak w Grala półmisku,
w niej się u-o-bie-kty-wnia;

gdy serca potężne bicie,
w pieszczot jedynej dobie,
zamyka i tworzy życie,
i celem samo jest w sobie...

I jest czas znowu inny,
gdy DUCH się z siebie rodzi
i chmurny a niewinny
od szczęścia precz odchodzi;

i niecierpliwie wstrząsa
przyziemnych pęt ostatek,
i szarpie się, i dąsa
wśród koronkowych gatek;

i podejrzliwie spogląda,
i gnuśny spokój płoszy,
i dziesięciny żąda
od każdej chwili rozkoszy;

i tylko tej ochocie
istnienia przyznaje prawo,
co Mu okupi się w złocie.
i Jemu będzie strawą – –

...i w waszym lubym objęciu,
wpółbliski jeszcze ciałem,
co czwarty uścisk w przecięciu
haniebnie z NIM was zdradzałem;

przez dziurkę nad lewym bokiem
krew waszą piłem ciepłą,
by tym cudownym sokiem
treść mą ożywić zakrzepłą;

wyście mi były „praiłem",
z któregom wstawał poetą –
i za to was płaciłem,
ach, jakże lichą monetą!

Jakże wam często kradłem
najświętsze dobro wasze,
by gardząc ziemskim stadłem,
wyfruwac hen, jak ptaszę!

Stulałem pokornie uszy
pod szyderstw waszych świstem,
by w katakumby mej duszy
zstępować z sercem czystem;

umiałem, wbrew pysze męskiej,
maskę niemocy przywdziewać,
by MOCY hymn zwycięski
cichutko w sobie śpiewać!...
.   .   .   .   .   .   .   .   .   .   .   .   .   .   .   .

...w wasze niknące twarze
patrzę z uczuciem winy,
o wy, na życia zegarze
upojeń dźwięczne godziny;

wy, szałów wczorajszych dreszcze
rozwiane kędyś po świecie,
wy... czy pomnicie mnie jeszcze...
przebaczcie, jeśli możecie...

## 2. PIEŚŃ WIECZORNA

*Janowi Kasprowiczowi*

I znalazłem rzecz gorzciejszą nad śmierć, to jest taką nie-
wiastę, której serce jest jako sieci i sidło, a ręce jej jako pęta.
Kto się Bogu podoba, wolny będzie od niej; ale grzesznik
będzie od niej pojmany.

*Eccl. VII, 26*

Wtulony w kącik sofy,
jak Hiob na swoim barłogu,
śpiewam me biedne strofy
sobie już tylko i Bogu.

Oczy w dal wpijam nieznaną,
patrzę i milczę, albowiem,
co człeku wiedzieć jest dano,
wiem wszystko – ale nie powiem.

Pókim znał prawdy li cząstkę,
ach, wówczas szczebiotałem
jak dziecię, gdy ssie swą piąstkę
niewinnym zbrukaną kałem;

nuciłem piosnki moje,
melodią świat mi był cały;
jak barwnych motylków roje,
tak Boyuś chwytał je mały.

Ach, byłoż mi dzieckiem zostać
na łonie Bytu-matki;
welon, co kryje jej postać,
paskudzić w deseń rzadki;

czemuż go zdarła niebaczna,
obłędna ręka artysty! –

Spirytus to rzecz smaczna,
lecz trudno pijać jest czysty...

Spojrzałem ci oko w oko,
żywotów odwieczna siło!
Patrzałem długo, głęboko,
aż mi się głupio zrobiło!

Patrzałem bez oddechu,
aż w piersi mojej coś pękło
i w srebrnym moim śmiechu
zerwaną struną coś jękło;

coś w otchłań się zapadło,
zamarło w pustkowiu głuchem
i farb bogactwo zbladło
Mai paćkanych paluchem...

...dziś patrzę okiem stępionem
na Stwórcy figlarne dzieło
i wołam z królem Neronem:
*Qualis artifex pereo...*

. . . . . . . . . . . . . . . . .

Wtulony w kącik sofy,
jak Hiob na swoim barłogu,
śpiewam me biedne strofy
sobie już tylko i Bogu.

I myślę, w jakiej postaci,
kiedy mnie już nie będzie,
wśród moich dobrych współbraci
żyć będę w rzewnej legendzie;

a potem nic już nie myślę,
tylko w półmroku szarym

siedzę, ot, mówiąc ściśle,
na mym derierze starym...


## 3. SŁOŃCE JESIENNE

> Przemyślałem w sercu swem, abym pozwolił wina ciału
> memu (serce jednak swoje sprawując mądrością) i abym się
> trzymał głupstwa dotąd, ażbym obaczył, co by lepszego
> było synom ludzkim czynić pod niebem przez wszystkie
> dni żywota ich.
>
> *Eccl. II, 3*

O słońce, słońce płodne,
co kędyś w szczęśliwym kraju
domowe i łagodne
zstępujesz w flakon tokaju;

o dobre słońce jesienne,
wejrzyj na dni me leniwe,
zwróć ku mnie oko promienne:
ty mi bądź miłościwe!

Jakże rozkosznie mnie grzeje
promieni twych płynne złoto,
jak się mym ustom śmieje
życzliwą, mądrą pieszczotą;

jak w błękit rozprzestrzenia
pracowni mej mrocznej ściany,
jak mi świat cały przemienia
w karuzel rozśpiewany!

Drga we mnie każde ścięgno,
życie gra w każdym nerwie,

myśli radosne się lęgną
jak małe robaczki w ścierwie,

jakaś mnie dławi pustota;
w szczęścia drapieżnym uśmiechu
wypruwam sobie z żywota,
och, bebech po bebechu,

ciągnę od samych cynader,
w esy zaplatam rozliczne,
cieszy mnie, że są nader
gibkie i elastyczne,

cieszy mnie ich nadobna
powierzchnia, że taka lśniąca,
że każdy flak z osobna
odbija troszeczkę słońca,

cieszy mnie wszystko na świecie,
wszystko mi znów jest prze-dziwne
i znowum jest jak dziecię
zdumione i naiwne,

i całej, calutkiej ziemi,
próżen mąk, smutków i złości,
ślę usty wzruszonemi
modlitwę wszechmiłości...

Pisane w r. 1915

# Z mojego dzienniczka

# JESTEM NIBY MACICA...

Jestem niby macica
(Nie damska, lecz perłowa):
Przedziwna tajemnica
W skorupce mej się chowa;

Kiedy mnie coś skaleczy
(O, śliczna metaforo!),
Naówczas „w samej rzeczy"
Perełkę lęgnę chorą...

Ach, niech się lęże cała
Kolia dla mojej damy,
Iżby pamiątkę miała,
Że troszkę się kochamy;

Żeśmy się wraz zdybali
Na tym padole smutku,
Zanim ruszymy dalej
Westchnąwszy po cichutku...

Niech drobne słówka brzęczą,
Snując półuśmiechami
Niteczkę tę pajęczą
Rzuconą między nami...

19 VI 916


# WSZYSTKO JEST GŁUPIE...

Wszystko jest głupie, co rodzi się z myśli,
A nie z kapryśnych słów dźwięku;

Wszystko jest kłamstwem, czego nie nakryśli
Pióro bezwolnie chwiejące się w ręku;

Wszystko jest nudą, co nie jest marzeniem,
Za światem baśni naiwną tęsknotą –
Wszystko jest zgrzytem, co nie jest westchnieniem
Z serca do serca wionącym pieszczotą...

13 IX 916

## NIKT MI PONOŚ NIE ZAPRZECZY...

Nikt mi ponoś nie zaprzeczy
(Chyba głowy bałamutne),
Że, psiakość, istnieją rzeczy
Przykro, rozpaczliwie smutne,

W których skupił się bezdenny
Symbol całej nędzy świata:
Gnany wichrem liść jesienny,
*Genitalia* jubilata,

Ostatni kwadrans odczytu...
Jeszcze kilka takich może
Wyplwanych przez Chaos bytu
W oczywistym nie-humorze.

Oto rzeczy, których godło:
*Lasciate ogni speranza;*
Lub też, gwarą bardziej podłą,
Z polska: a bodaj cię franca...

Lecz głębiej smutne i więcej
Niż wszystko inne, niestety,

Jest w wierze swojej dziecięcej
Zranione serce poety...

18 XI 916


## MAJOWĄ, CICHĄ NOCĄ...

Majową, cichą nocą
Po mieście błądzę sennym,
Wśród drzew latarnie migocą
W listeczków drżeniu promiennym.

Błądzę, jak jaki Heine,
Z duszą śmiertelnie chorą –
*Die kleine, feine, die eine – –*
Ach, wszystko diabli biorą...

Śpiewajcie, ptaszki mej duszy,
Istnienia czarowną głupiość;
Może wasz świegot zgłuszy
Myśli mych smutek i trupiość –

Zwińcie mi w kaprys zalotny,
W leciuchne zakręćcie tryle
Wiew życia bezpowrotny
I tęsknot próżnych tyle...

Znów w siebie tylko patrzę
Oczyma zamglonemi,
W mych rojeń śmisznym teatrze,
Jedynym dla mnie na ziemi;

W mar wiotkich błąkam się kole,
Obok mnie gwar i zamęt,

Za przyszłą, lepszą dolę
Krew płynie... i atrament...

Jakaś potężna harmonia
Brzmi coraz to wyraźniej:
To wielka RA-mol Symfonia,
Symfonia polskiej JAŹNI...

Cichajcie, moje wy ptaszki,
Stulcie gardziołka płoche:
Nie czas na wasze igraszki,
Wstyd mi, wstyd za was trochę;

Dość już machania ogonkiem
I móżdżku bezeceństwa;
Czas by już zostać członkiem
Jakiegoś społeczeństwa;

Jednania święcą się gody:
Grajcie mej duszy fanfary!
Umiera błazen młody,
Rodzi się dureń stary...

...Po mieście krążę wpółśpiącym
I pytam przeciągłym śpiewem,
Czy ono snem mym dławiącym,
Czym ja jest jego wyziewem...

Po mieście błądzę sennym
Majową, cudną nocą,
W listeczków drżeniu promiennym
Latarnie tęskno migocą...

16 V 916

# ZNOWUM WRÓCIŁ...

Znowum wrócił z wyprawy po życie
Do mej cichej, samotnej komórki;
Wytarzałem się w nim należycie,
Zachłysnąłem się po same dziurki.

Znowu ległem zwinięty w kłębuszek,
Niby chore, dygocące zwierzę,
Twarz rozgniatam o stertę poduszek
I mamrocę me dziwne pacierze...

Ty znasz jeden, o rytmie, me wnętrze,
Ty kłaść umiesz ręce na klawisze,
Z których tony płyną najgorętsze
W smutku mego lodowatą ciszę...

Głupi jestem jak nogi stołowe,
Głupi jestem ohydnie i płaski,
Aż nie raczy spłynąć na mą głowę
Promień twojej, o poezjo, łaski!

O Szaleństwo, przepal mnie swym żarem,
Niech zapory wszystkie we mnie pękną,
Aż straszliwym, niepojętym czarem
Nędza moja się przetworzy w piękno!

Wszystko w świecie dobre jest i śliczne:
I ten wieczór ciepły, i te drzewka,
I te kwiatów kadzidła mistyczne,
I ta skromna pod drzewem kurewka.

Wszystko szemrze dokoła i śpiewa
Ducha płodną, nieśmiertelną wiosnę,
Wszystko w jednym akordzie się zlewa
W Myśli świata rzężenie miłosne!

O Szaleństwo, jakże twoim jestem,
Tyś mi światłem w błędnych mrokach nocy:
Tyś jest SŁOWEM, a ja tylko gestem,
Zniechęcenia gestem i niemocy...

25 V 916

A KIEDY PRZYJDZIE...

...A kiedy przyjdzie godzina rozstania,
Popatrzmy sobie w oczy długo, długo
I bez jednego słowa pożegnania
Idźmy – ja w jedną stronę, a ty w drugą.

Bo taka nam już pisana jest dola,
Że nigdy dla nas Jutro się nie ziści,
Wiecznie nam w poprzek stanie tajna WOLA,
Co tkliwość mieni w podmuch nienawiści.

Najmilsza moja! Leć, kędy cię niesie
Twych piórek zwiewność i krwi młodej tętno;
Leć, kędy życia pieśń wzdyma i gnie się
W rytmów tanecznych melodię namiętną;

Leć, kędy Rozkosz wyciąga ramiona
Po smutne serce człowieka tułacze,
Co w jej śmiertelnym spazmie drży i kona,
I wyje z bólu, i ze szczęścia płacze...

Leć.. ale pomnij: w pogody uśmiechu,
W marzeń haszyszu i w smutków żałobie,
I w cnót dystynkcji, i w plugastwie grzechu
To wiedz, najmilsza: ja jestem przy tobie.

Oczyma na cię patrzę skupionemi,
Jak na misterium ważne, groźne prawie,
I co bądź czynisz, biedna Córo Ziemi,
Ja, brat twój starszy, ja ci błogosławię...

...Gdy będziesz cierpieć, ja ciebie pocieszę,
A gdy się zbrukasz, wówczas wiedz, ty droga:
Ja cię wysłucham i ja cię rozgrzeszę,
Bo taką władzę mam daną od Boga.

W twe dłonie wtulę twarz od tęsknot bladą,
O twe kolana głowę oprę biedną,
A ty mi bajaj, o Szeherezado,
Twych cudnych nocy, ach, tysiąc i jedną...

...A kiedy przyjdzie godzina spotkania,
Może w nas pamięć dawnych chwil poruszy
I bez jednego słowa powitania
Popatrzym sobie aż w samo dno duszy...

31 XII 916

# Piosenki
# «Zielonego Balonika»

# WIERSZ INAUGURACYJNY NA OTWARCIE
## PIĄTEGO SEZONU «ZIELONEGO BALONIKA»

Już się piąta zima znaczy,
Jak w tych starych murów cieniu
Walczym, z odwagą rozpaczy,
Przeciw mózgów rozmiękczeniu...

Walczym mężnie, lecz bez wiary,
Przeciw tej krakowskiej hydrze,
Patrząc, rychłoli ofiary
I z naszego grona wydrze.

Przeżyliśmy tu, w tej sali,
Pięć lat naszych młodych rojeń;
Tutaj życieśmy czerpali
Z tak zwanej czary u p o j e ń.

Weszliśmy w te ciche bramy
W naszych lat młodzieńczych wiośnie,
Niewinni jak dziecię Mamy,
Gdy pierś jej tuli radośnie.

Weszliśmy pełni zapału,
Że zmienimy świata kolej,
Że stworzymy, choć pomału,
Polskę, co ma we łbie olej...

Nie broniąc się przed męczeństwem,
Nieśliśmy siły najlepsze;
W pogoni za człowieczeństwem
Bywaliśmy jako wieprze...

By zdobyć pogląd niezłomny
Na cnotę i na występek,

W grzechów kałuży ogromnej
Nurzaliśmy się po pępek.

Dzisiaj, gdy pierwsza siwizna
Bieli naszą skroń znużoną,
Patrzymy, zali Ojczyzna
Przyjęła ofiarę oną?...

Czy który z nas, choć w mogile *(łezka)*,
Tej pociechy kiedy zazna,
By nas naród wspomniał mile,
Niby król swojego błazna?...

Lecz dalej! Co bądź nas spotka,
Co bądź przypadnie nam w zysku:
Czy trudów nagroda słodka,
Czy tylko sińce na pysku,

Czyli pierzchną mroków cienie,
Czy się los zawistny uprze,
By następne pokolenie
Było w Polsce jeszcze głupsze,

Czyli czeka nas podzięka,
Czy też obrzucą nas błotem,
Niech płynie nowa piosenka,
Niech się pluska w winie złotem;

Niechaj śwista, niechaj warczy
Niby bąk podcięty batem:
Zanim przyjdzie uwiąd starczy,
Jeszcze się pobawmy światem!

A kiedyś przyszłość odpowi,
Gdy nowych dni wejdą brzaski,

Kto lepiej służył krajowi:
L u t o – czy też S i e r o –sławski!

Pisane w r. 1909

# NOWA PIEŚŃ O RYDZU,

CZYLI:
JAK JAN MICHALIK ZOSTAŁ MECENASEM
SZTUKI,

CZYLI:
NIEZBADANE SĄ DROGI OPATRZNOŚCI

Nuta: *Zdarzyło się raz Jadwidze,*
  *Poszła do lasu na rydze*

Miał se Michalik cukiernię,
Kupczył w niej trzeźwo i wiernie,
Kawusia, ciastka i pączki,
Zapłata z rączki do rączki.

Kredytu śmiertelny był on wróg,
Toteż mu za to poszczęścił Bóg,
Że serce dla golców miał z głazu,
Nie zrobił *benkełe* ni razu.

Każdy stan swoje ma smutki:
Więc też w czas niezmiernie krótki
W ów lokal znany z trzeźwości
Dziwnych sprowadził czart gości.

W pobliżu świątynia stała sztuk,
Stamtąd się zakradł najpierwszy wróg,

Malaria lokal obsiadła,
Iżby w nim piła i jadła.

Dziwi się wszystko w tej budzie:
Cóż tu się schodzą za ludzie!
Chłop w chłopa dziki, kosmaty,
A portki na nim – na raty.

„Hej, chłopak, wiśniówki dawać w cwał!"
Wygolił dwanaście tak jak stał
I mówi: „Ciasteczka i trunek
Zapisz pan na mój rachunek".

Przez dwa tygodnie już co dzień
Jadł i pił obcy przechodzień;
Wreszcie Michalik nieśmiało
Należność podaje całą.

„Czterdzieści sześć koron! Eh, to nic,
Dodaj pan te cztery, bierz ten kicz;
Przylepisz go se do ściany,
Będziesz miał lokal ubrany".

Cóż było począć z tym drabem?
Więc po wzdryganiu dość słabem
Zrozumiał biedny gospodarz,
Co to jest popyt i podaż!

I od tej chwili codziennie już
Lał się spirytus z ogromnych kruż;
Michalik patrzy i patrzy,
A mur ma coraz pstrokatszy.

131

Co potem jeszcze się działo,
Gadać by trzeba niemało,
Dość, że ta buda od dawna
Już w całej Polsce jest sławna.

Wszystko oglądać ją pędzi w skok
Do Michalika na fajfoklok:
Kołtun z prowincji czy z miasta
Z otwartą gębą żre ciasta.

Spróbuj zaglądnąć w zapusty
Do Michalika o szóstej:
Kogóż tam nie ma! sam powidz:
Nawet Rachela z Bronowic!

Oj pa-, oj pa-nie Michalik,
A gdzież tyż tu jest jaki katolik?
Karmcież mi dobrze go, proszę,
By się nie skurczył po trosze...

W końcu Michalik na serio
Zaczął brać swoją galerią,
Uderzyło mu do głowy,
Że taki sklep ma morowy.

„Hej, panie Mączyński, panie Frycz,
Bierzcie, co chcecie, nie szczędźcie nic,
Urządźcie pięknie mi salę,
Niech się przed światem pochwalę".

Chwycili pędzle, ołówki,
Poszli po rozum do główki
I mówią: „Cztery tysiączki
Bulić tu z rączki do rączki".

Oj Mi-, oj Mi-, oj Mi-chalik,
Powiedz mi, chłopie, czyś ty się wścik?
Strasznie zmieniły się czasy,
Płać złotem za te figlasy!

Nie mamy w Polsce monarchy,
Same w niej golce lub parchy:
Michalik został nam jeden,
By Sztuki stworzyć w niej Eden;

Oj ry-, oj ry-, oj ry-cerzu nasz,
Sztandarów świętych ty trzymaj straż,  ⎤
Będziem cię doić jak brata,          ⎬ bis z chórem
Byleś nam długie żył lata!           ⎦

Pisane w r. 1910

# CO MÓWILI W KOŚCIELE U KAPUCYNÓW
## PIEŚŃ DZIADKOWA

*Bardzo powolne tempo mazurka*

Posłuchajcie, ludkowie,
Co wam dziadek opowie:
Niech nastawi każdy ucha,
Bo to mądra jest psiajucha,
    Z niejednej flaszki pijał.

Wiecie wy, chamskie gnaty,
Z kiem ja jestem żonaty?

W kościele moja babina
Baczy, by każda hrabina
   Miała do mszy stołeczek.

Przy tej duchownej pieczy
Słyszy też różne rzeczy,
Co tam sobie parle-franse
Wyzwirzują za romanse:
   Okrutne wszeteczeństwa.

W przedostatnią niedzielę
W kapoceńskim kościele,
Mówiła mi moja starka,
Straśna była tam pogwarka
   O jakimsiś b a l o n i k u.

Rzecze pani nieftóra:
„To Sodoma, Gomóra;
Niewidziane rzeczy w świecie,
Co oni w tym t a b u r e c i e –
   Tfu! nikiej zwykłe świnie.

Schodzom się do piwnice,
Zapalone trzy świce,
Drzwi nie wprzódzi się otwiera,
Aż fto imie Lucypera
   Po trzy razy zawoła.

Kompanija wesoła
Ozbira się do goła,
Potem jakieś śtuczne tańce
Wyprawiają te pohańce,
   Wstyd wymówić: jakieś m a c i c e.

Syćko se tak używa,
Choć niejedna już siwa;

Niejedna – boskie skaranie –
W odmiennym chodzi stanie,
    A i ta se folguje.

Z harakiem stoi balia,
Pije cała kanalia,
Od rzeźbiarza do malarza
Każdy pysk do balii wraża
    I bez pamięci chłepce.

Beł tam młody chłopczyna,
Zwą go jakoś... Stasina,
Jak nie weźmie płakać, prosić,
Ze pić nie fce, ze ma dosyć –
    Przemocą w gardło leją.

Jensza bestia – tak gruba –
Straśnie sprośna choroba –
Do syćkiego ten ci pirszy,
Wszeteczne im składa wirsze
    Na to rajskie wesele.

W wielkiej on ci tam chwale
Gra na klawicymbale,
Syćkie głosem mu wtórują –
Po brzuchu go przyklepują –
    Niby ze pirsza świnia.

Jenszy na łbie ma kłaki
Jak u jakiej pokraki –
Ponoś jaze jest ze Zmudzi:
Co ten gębą napaskudzi,
    To ratuj, Chryste Panie!

Mówiom o nim dochtory,
Ze na rozum jest chory –

Bo do kobit tak się bierze:
Zamiast uzyć, jak należy,
   Ino gada plugastwa.

Jenszy znów to krotofil,
Wołajom go Teofil;
Zółte kudły se fryzuje,
Szpetne figle pokazuje,
   Baby skrzeczom z radości.

Ze jest chłop jak się patrzy,
Niejedna się zapatrzy –
Potem dziwią się ludziska,
Choć nie krewny, zasie z pyska
   Wykapany Teofil.

Jak się syto napiją,
Dość se gębów pobiją,
Potem liga syćko społem,
Fto na stole, fto pod stołem,
   Gorzej niźli żwirzęta.

Taką mają zabawę
Te odmieńce plugawe,
Co się same – Panie święty –
Przezywają «dekadenty»,
   Po polsku: takie syny!"

Tak gadali w niedziele
W kapoceńskim kościele:
Nie strzymałek ciekawości,
Przywlekłek tu stare kości,
   Niech się dziaduś napatrzy...

Pisane w r. 1906

136

# POCHWAŁA OJCOSTWA

Pieśń napisana na uczczenie radosnego zdarzenia w rodzinie dyrektora «Zielonego Balonika», a poprzedzona dwiema strofkami treści ogólnofilozoficznej.

Nuta: *Danse du ventre*

Życie ludzkie na pozór
          to zwykły kawał,
Lecz on nie jest tak prosty,
          jak by się zdawał;
   Ledwie się wyznasz na niem,
   Jużeś jest starym draniem:
   Kiedyś taki rozumny,
   Właźże do trumny...

Jednakowo dla wszystkich
          świat ten się kręci,
W mózgu zasad przybywa,
          a w żyłach rtęci...
   Reumatyzmy już łupią,
   Coraz bardziej jest głupio,
   Czują już nasze kości
   Przedsmak wieczności...

Z czymże staniesz przed Stwórcą,
          miły „Stasinku",

137

Gdy napełnisz niebiosa,
                    zapachem kminku?
    Tam już kończy się blaga,
    Rozbiorą cię do naga,
    Nikt się tam nie przestraszy
    Białych kamaszy...

Na początek sprobujesz
                    łgać na potęgę;
Wówczas Pan Bóg otworzy
                    ogromną księgę:
"Stanisław Sierosławski –
ODKRYCIA, WYNALAZKI
I k o b i e c e ramoty
Każdej soboty..."

I Stwórca wyda wyrok
                    zwięźle i krótko:
"Mój Stasinku, w ł a ś c i w i e
                    to jest m a l u t k o,
    Za to, żeś żył tak marnie,
    Będziesz cierpiał męczarnie,
    Robił numer niedzielny
    W prasie piekielnej".

Rozpłacze się Stasinek
                    jak małe dziecię,
Zacznie bąkać coś z cicha
                    o k a b a r e c i e...
    Na to przyskoczą diabły
    I po twarzy wybladłej
    Lizać go zaczną, przy tem
    Głaszcząc kopytem...

Jeden ciągnie za nogę,
                    drugi za ucho;

Wówczas, widząc Stasinek,
                że już z nim krucho,
Krzyknie głosem straszliwym!
„Byłem ojcem szczęśliwym!
Sił przelałem ostatek
W siedmioro dziatek!

Jedni czynią swe dzieła
                farbą na płótnie,
Inni się nad marmurem
                pocą okrutnie
Lub gdy żądza ich zbierze,
Smarują na papierze,
Aby kres swych męczarni
Sprzedać w księgarni!

Laury takie nie skuszą
                duszy mej hardej
Nie mam dla tych igraszek
                nic prócz pogardy.
Ja, z przeproszeniem waszem,
Byłem nowym Fidiaszem,
Rzeźbiłem żywe ludzie
W niemałym trudzie!

Właśnie kwili w kolebce
                siódma dziecina,
Poprzysiągłem nie spocząć
                niżej tuzina,
Niestety, śmierć zdradziecka
Przerwała wyrób dziecka,
Wydarła mnie, zbyt skora,
Służbie Amora!"

Jeden okrzyk podziwu
                w krąg się rozlegnie;

By oglądać herosa,
　　　　　niebo się zbiegnie;
I w wielkiej chwale siędzie,
I dumne jego lędźwie
Sławić będą, hen z góry,
Anielskie chóry;

I w wielkiej chwale siędzie,
I płodne jego lędźwie
Sławić będą, hen z góry,
Anielskie chóry!!

Pisane w r. 1908

## OPOWIEŚĆ DZIADKOWA
## O ZAGINIONEJ HRABINIE

Straśna okropność w Warsiawie się stała,
Jak opisuje nasza prasa cała,
Zjadły hrabinę jakieś ludożerce,
　　　　　Srogie morderce.

Coś upatrzyły sobie te bandyty
Do nieszczęśliwy, bezbronny kobity,
Ńic jej nie pomógł bilet pirszy klasy:
　　　　　Okropne czasy!

Wlazła ci za nią jedna z drugą świnia:
Jak zacznie kurzyć paskudny Wirdżinia,
Za małą chwilę syćko w kupie spało:
                    Tak ci śmierdziało!

Dalejże, zbóje, do onyj niebogi,
Bidną hrabinę wywlekli za nogi,
Nos jej skrwawili, podbili jej oka:
                    Płynie posoka.

Wnet ułatwiwszy sprawę bez hałasu,
Tak po kamieniach wlekli ją do lasu,
Ledwie że czasem który okiem łypie,
                    Czy jeszcze zipie...

Potem te zbóje znalazły się brzyćko:
Ściągnęły ci z niej do koszuli syćko
I nie baczęcy na płacze i jęki,
                    Wzięni na męki...

Takie historie pisały gazety –
Myślałek sobie: szkoda ci kobiety;
Naraz się wielga oschodzi nowina,
                    Że jest hrabina!

Syćko się pyta, jak beło w tym lesie?
Beło – nie beło, nikt dziś nie dowie się,
Bo swojej krzywdy ta kobita święta
                    Nic nie pamięta.

Diabeł nie dońdzie, jak ta sprawa ma się;
Może i prawda, co pisało w „Czasie",
Że to pewnikiem beł socjalistyczny
                    Gwałt polityczny...

Pisane w r. 1907

## PIEŚŃ O NASZYCH STOLICACH
## I JAK JE OPATRZNOŚĆ OBDZIELIŁA

„Wszystko nam dałeś, co dać mogłeś, Panie" –
Powiedział niegdyś pewien wielki kpiarz;
A jednak dzisiaj to figlarne zdanie
Powtórzyć musi, kto kraj poznał nasz;
Bo choć poszarpał los polską ziemicę,
Lecz wnet się do nas uśmiechnął przez łzy:

Wszak każda nacja jedną ma stolicę,
A my, szczęśliwcy, mamy ich aż trzy! } bis

Kraków, Warszawa i nasz Lwów prastary,
Ten beniaminek wszystkich polskich serc,
Naszego ducha wszak to trzy filary,
Naszej kultury tyleż dzielnych twierdz.
Lecz nie dość jeszcze – cóż powiecie na to?
Całemu światu kładąc nas za wzór,
Extra-stolicę dał nam Bóg na lato:
„Uroczą perłę zakopiańskich gór".

Wnet sprawiedliwość boska dobrze znana
Hojne swe dary równo dzieli nam:
Nam dała  F e l d-mana, Warszawie  R a j c h-mana,
Hoesick na przemian mieszka tu i tam – –
Widząc zaś, że gdy skarby tak rozdziela,
Lwów pokrzywdzony smutnie z boku stał:
Autentycznego dał mu Rafaela
I... w radzie miejskiej znawców sztuki dał.


U nas Tarnowski w rektorskim ogonie
Do Akademii zwabia gapiów ćmy –
Warszawa chwali sobie Filharmonię,
Gdzie nasz Józefek wciąż poczciwy rży:
Lecz i tym razem fortuna przekorna
Lwów wywyższyła kosztem innych miast:
Dała mu, dała... „Colosseum" Thorna,
Aby nam naszych nie zazdrościł gwiazd.

Słyną Warszawy „mistyczne wieczory"
I ich subtelny nastrojowy cień,
Lecz mistyczniejsze Kraków ma wybory,
Gdzie głosy zmarłych słychać w biały dzień.
I Lwów ma swoje igraszki natury –

143

Na czarnoksięstwo zakrawa ten gest:
Bierze się kawał zwykłej, mocnej rury,
*Eccola!* Dmuchnąć i prezydent jest!

W Warszawie zbytek, szampańskie kolacje,
Płyną rubelki – skąd? gdzie? Ani wiesz;
Lwów ma na tydzień jedną defraudację,
Coś więc gotówki liźnie czasem też;
Za to krakowskie mury osławione!
Ilu mieszkańców, tyle w portkach dziur:
U nas się mówi: ,,Pożycz mi koronę",
Tak jak gdzie indziej mówi się: *Bonjour!*

Dzięki tej stolic mnogości Ojczyzna
Ma aż trzy rynki na talentów zbyt,
Niejeden z państwa może w duchu przyzna,
Że to ułatwia nam walkę o byt;
Gdzie indziej, kto się na życia krawędzi
Raz jeden potknie – oho! Bywaj zdrów!
U nas, choć w jednej stolicy coś zwędzi...
Założyć dziennik może w drugiej znów.

Szeroko sięga sława naszych stolic
I cudzoziemców zwabia do nas kwiat,
Płyną podróżni z najdalszych okolic,
Pod polskim niebem każdy spocznie rad.
W niewieścim gronie, wśród miłej zabawy,
Jeśli zapytasz: ,,Skąd panienka jest?"
Z wszelką pewnością jedna jest z Opawy,
Druga z Czerniowiec lub *aus Budapest!*...

Pisane w r. 1907

144

## ZUR HEBUNG DES FREMDENVERKEHRS
(Pieśń poświęcona Krajowemu Tow. Turystycznemu)

Krzywosz* raz w przejeździe, tęskniąc za niewiastą,
Wyszedł szukać przygód w Krakowie na miasto,
Gościu, gościu miły, gościu, gościu nasz,
Zdaje mi się, że ty coś źle w głowie masz.

Nakłada cylinder i cudne lakierki,
W grubym pularesie szeleszczą papierki,
Stanął przed zwierciadłem, by poprawić strój:
Drżyjcie, krakowianki, wychodzi na bój!

Elastycznym krokiem obchodzi plantacje,
Patrzy, komu by tu postawić kolację:
Wyszło wprawdzie z krzaków panienek ze sto,
Lecz zdawały mu się nie dość *comme il faut.*

Nieco już nerwowy przebiega ulice,
Coś, gdzieś, kiedyś słyszał o „cygarfabryce";
Zatem w tamtą stronę szybko zwraca chód,
Patrzy: dobra nasza, jest towaru w bród.

* Pragnąc, aby niniejsze wydanie mogło się stać definitywnym, krytycznym i naukowym, przywraca
wydawca [autor] oryginalny tekst, dotąd w druku zastępowany słowami: „Pewien gość z Warsza-
..., "

Zajął pod latarnią dogodną pozycję;
Zwraca do dziewczęcia grzeczną propozycję,
Lecz nim jeszcze zdążył w rozmowę się wdać,
Tak ci go zwołała, że psia jego mać!...

Zwabił do cukierni wreszcie dwie kobietki:
Pannę Salczę z Ryfczą, polskie midinetki;
Zjadły czekoladę, po sześć ciastek tyż –
Cóż, kiedy *tapen jo, aber sztyken nysz!*

Ulice już puste, więc z resztką nadziei
Pospiesza co żywo na dworzec kolei;
Może tam przynajmniej będzie jakiś ruch:
„Cholera nie miasto" – powiada nasz zuch.

Podsuwa się chyłkiem do jakiejś kobity,
Wtem go łapie za kark dama świętej Zyty,
Rozjuszonym głosem krzyczy prosto w twarz:
„K a t o l i c k i c h  dziewcząt tknąć się ani waż!"

„Dobryś, mówi sobie, diabli wzięli randkę;
Gdzież ja o tej porze znajdę protestantkę?
Lecz umykać trzeba, to niezbity fakt,
Pójdę do teatru na ostatni akt".

Gość nasz, który zwiedzał cudzoziemskie kraje,
Widywał w teatrach lekkie obyczaje,
Zatem zakupiwszy cukrów cały stos
Śmiało za kulisy idzie wściubić nos.

Rozpoczyna z lekka wstępną galanterią;
Dama robi na to minę bardzo serio,
Płomień oburzenia bije jej do lic:
„U nas, proszę pana, małżeństwo lub nic."

Wypadł biedny Krzywosz* trzęsąc się jak w febrze,
Pędzi do hotelu, o rachunek żebrze;
Aż do Oderbergu łamała go złość:
Tak z Krakowa zniknął j e d e n  d o b r y  g o ś ć!

Pisane w r. 1907

## DZIEŃ P. ESIKA W OSTENDZIE

(Na podstawie korespondencji do „Kuriera Warszawskiego" i na wszelką odpowiedzialność autora tychże korespondencji skreślony i pod muzykę podłożony.)

Motto: *Des Lebens ungemischte Freude*
*War  d o c h  e i n e m  Irdischen zuteil.*

*(Schiller)*

Gdy skwar dopieka
Biednego człeka,
Pot po nim ścieka,
Topnieje już,
Gdzież Esik będzie,

* Wariant:
  Wypadł gość z teatru etc.

147

Godniej zasiędzie,
Jak nie w Ostendzie,
Królowej mórz...

Uroczy pobyt,
Tłum pięknych kobit,
Wkoło dobrobyt,
Wszystko aż lśni;
Rozkosz przenika
Ciało Esika,
Nóżkami fika,
Ze szczęścia rży.

Pierwsze śniadanko:
Kawusia z pianką,
Przegryza grzanką
I pędzi w cwał
Prosto na plażę,
Gdzie w słońca żarze
Błyszczą miraże
Kobiecych ciał.

Strojna dziewczyna
Kibić przegina,
LUXUS-kabina
Rozkoszą tchnie;
Ruchem pantery
Zrzuca jegiery
I gdzie hetery,
Tam Esik mknie.

Barwne półświatki,
Pulchne mężatki,
Obcisłe gatki
Śmieją się doń;
Esik się nurza,

Szczypie w odnóża,
To znów jak burza
Wciąga je w toń.

Lecz dość na dziś z tym,
Na piasku czystym
Jeszcze „mój system"
Przez minut sześć;
Potem swobodnie
Nakłada spodnie
I nim ochłodnie,
Pędzi coś zjeść.

Ostryga tłusta
Wpada mu w usta,
Potem langusta,
Potem chablis:
Otwiera paszczę,
Językiem mlaszcze,
W brzuszek się głaszcze
I dalej ji.

Znikł potraw szereg,
Mały szlumerek,
Potem spacerek
Przez pyszną sień;
Przybił do portu
W cieniach abortu;
Co tu komfortu:
Uroczy dzień!

Wychodzi letki
Z cichej klozetki,
Znów na kobietki
Popatrzeć rad;
Z tłumem się miesza,

Gdzie strojna rzesza
Gwarnie pośpiesza –
Pięknym jest świat!

Koncert w kurhauzie:
Esik zdrzymał się,
Budzi go w pauzie
Oklasków szum;
Potem nos wetka,
Kędy ruletka,
Stara kokietka,
Przywabia tłum.

Złoto się toczy,
Wszystko się tłoczy,
Wyłażą oczy,
W piersiach brak tchu –
Lecz Esik nie gra,
Bo niechże przegra,
Dałaby świekra
Ruletkę mu!

Tak niespożycie
To szczęścia dzicię
Studiuje życie
I jego brud,
Gdy wtem latarnie
Gasną i gwarnie
Wszystko się garnie
Do tinglu wrót.

Włazi i Esik
W ten interesik;
Figlarny biesik
Jakiś go prze,
Umoczyć usta

Tam, gdzie rozpusta
Najskrrrrytsze gusta
Zgadywać śmie.

Sala stłoczona,
Dyszące łona,
Nagie ramiona
Wśród fraków tła;
Tańczą skłębieni
W ciasnej przestrzeni,
Szampan się pieni,
Muzyka gra.

Dwa biusty śnieżne
Trą się, lubieżne,
To znów rozbieżne,
Prężą się wstecz –
Płoną oblicza,
Idzie m a c z i c z a,
Zabawa bycza,
„Baeczna – prosz paa – rzecz!"

Trzęsie się buda,
Pęka obłuda:
Cóż to za uda!
Esik aż drży;
Pyta nieśmiele:
„*Ma toute belle..*
Rajskie wesele...
*Quele est votre prix?"*

Spojrzy dziewczyna:
Zamożna mina,
Duża łysina
I nóżki w „ix";
„Bez długich krzyków

Dla starych pryków
Dziesięć ludwików
*C'est mon prix fixe"*.

Niegłupi Esik,
Swój pularesik,
Zapina gdziesik,
Ochłonął w mig;
Płaci co żywo
Za małe piwo,
Z miną złośliwą
Za drzwiami znikł.

Wśród nocy chłodnej
Po plaży modnej
Idzie pogodny,
Wolny od burz;
Jeszcze dwie gruszki
Zjadł do poduszki,
Wyciągnął nóżki
I chrapie już!...

Pisane w r.1907

## GŁOS DZIADKOWY O ROBOTACH ZIEMNYCH
## PANA PREZYDENTA ·

Chodzi sobie, chodzi biedny dziadek,.
    Taki jego los;

Wpadł do dołu, potłukł se pośladek,
        Okrwawił se nos.
To robota pana prezydenta,
Wszędzie doły kopie, matko święta,
        Bidny dziaduś bęc –
Dobrze jemu w aksamitnem palcie
Paradować sobie po asfalcie
        Niby jaki prenc!

Kopią cały miesiąc jednym ciągiem,
        Aż skończyli raz;
Ale ledwie kuniec z wodociągiem,
        Trza naprawiać gaz –
Pan prezydent długo robił głową,
W końcu mówi: „Kopać trza na nowo,
        *Ordnung* musi być;
Patrzcie, żeby prędko skończyć z gazem,
A betuny da się innym razem;
        Nie pali się nic".

Takie sobie robią z nami śtuki:
        Prezydent ma czas!
Przedtem beły bodaj kiepskie bruki,
        Ostał ino śpas;
Za to teraz, skoro zeńdzie nocka,
W jednym dołku jakaś parka hocka,
        W drugim inksza znów –
Potem dalejże do prezydenta:
Płać, prezydent, teraz alimenta,
        Po coś zrobił rów!

Pisane w r. 1909

## OPOWIEŚĆ DZIADKOWA
## O CUDACH JASNOGÓRSKICH

Niekże to syćkie pierony zatrzasnom:
Wybrał się dziadek aż pod Góre Jasnom,
Myślał, że grosik uzbira, tymczasem
       Wrócił ciupasem.

Tego widoku dożył dziadek stary,
W całym klasztorze nic, jeno dziandary,
Sytkie osoby duchowne a świente
       Pod klucz zamkniente.

Dziwne tu rzeczy bajom sobie ludy,
Że się tam działy straśne jakieś cudy:
Niby że ojce porobiły świeństwa
       Gwoli męczeństwa.

Żył jeden z drugim piknie, bez turbacji,
Świątek czy piątek przy godny kolacji
Bluźnił Imieniu Tego, co go stworzył,
       I cudzołożył.

Jeden najgorszy – patrzcie wymyślnika! –
Chował pod sobą w sofie nieboszczyka,
Że jak bez tego na ty sofie grzeszy,
       To go nie cieszy.

Przeor też, mówiom, jucha jest morowa,
Ponoć co tydzień ziżdżał do Krakowa,

154

Jako że tu miał śtyry konkubiny,
        Same hrabiny.

Co jaki grosik na tackę się wśliźnie,
To go dzieliły ojce po starszyźnie,
A zaś do śkarbca każdy za swe grzechy
        Miał dwa wytrychy.

Jak przyszło Xiędzu dla dobra klasztoru
Zatłamsić kogo, to mu bez jankoru,
Póki ta zipie, własną dłonią leje
        Świente oleje...

Codziennie rano nabożnym zwyczajem
Spowiadały się ojcaszki nawzajem,
By chtóry trafił, jak przyńdzie potrzeba,
        Prosto do nieba.

Różnie dopuszcza Bóg w mądrości swojej,
Ale to jakoś bardzo nie przystoi,
Iżby siedziały w takiem świentem gronie
        Same Pochronie...

Mnie złość już bierze, chociek dziadek świecki,
Cóż ta dopiro w grobie Xiądz Kordecki:
Musi go skręca od straśnej tertury
        Zadkiem do góry.

Kogo Bóg kocha, tego i doświadcza,
Więc choć zgrzeszyła ręka świętokradcza,
Módlmy się, bracia, by nasz zakon miły
        Znów porósł w siły.

Iżby zapomniał Bóg o swej boleści,
Trza mszów zakupić dziennie choć z czterdzieści;

Niech więc na tacke, co ta chtóry może,
Rzuci w klasztorze...

Pisane w r. 1910

## PIOSENKA SENTYMENTALNA, KTÓREJ JEDNAK NIE TRZEBA BRAĆ ZANADTO SERIO

Melodia: Delmet, *Envoi de fleurs*

Czy pamiętasz jeszcze te wiośniane dni
Pierwszego twych zmysłów dziewczęcych rozkwitu?
Może o nich czasem serce twoje śni,
Kto wie, może we śnie omdlewa z zachwytu?
A gdy cię owładnie wspomnień tęsknych szał,
Może czasem marzysz o cichej sielance,
Gdym z ust wpółdziecięcych pierwszy uścisk brał
W jakiejś ogrodowej ustronnej altance...

Może czasem wspomnisz słodkie chwile, gdym
Uczył pierwszych pieszczot twe nieśmiałe rączki,
Kiedym się upijał pierwszym dreszczem twym,
Młodziutkiego ciała gdym rozwijał pączki...
Dziś ty w pełnej krasie, jak dojrzały kłos,

Innym dajesz szczęście na twej piersi białej –
(Kłos nie ma piersi? To nic nie szkodzi, proszę nie
przeszkadzać!)

Mnie w inne ramiona rzucił dobry los,
Dziś u moich kolan igra synek mały...
Gdy to dziecko dojdzie już chłopięcych lat,
Kiedy na nie przyjdzie czas wiosennych rojeń,
Wówczas twej piękności na wpół zwiędły kwiat
Dyszeć będzie czarem ostatnich upojeń;
Ocal biedne dziecię od miłosnych mąk,
Niech je twoja dobroć do siebie przygarnie,
Niechaj pierwszą słodycz weźmie z twoich rąk,
Niech nie zna, co pragnień młodzieńczych męczarnie!

Niechaj na nie spłynie dawna tkliwość twa,
Ono da ci w zamian pieszczot swych pierwiosnki;
Chciej być tym dla niego, czym dla ciebie ja –
Niech się ozwie echo dawnej, cudnej piosnki...

## ROZKOSZE ŻYCIA
Pieśń ku pokrzepieniu serc

Wszystko dziś biada: ,,Lepiej wcale nie żyć",
  I pesymizmu słychać zewsząd jęk,

157

A jednak państwo, zechciejcie mi wierzyć,
  Życie jest piękne, życie ma swój wdzięk;
Umieć je cenić, to pierwsza zaleta,
  Nie żądać więcej, niż nam może dać:
Wówczas, braciszku, jak mówi poeta,
Garściami rozkosz zewsząd będziesz brać!

Choć wszystko wezmą ci losy przeciwne,
  Pociechę pewną zesłał dobry Bóg:
To – że tak powiem – szczęście n e g a t y w n e,
  Tego nie wydrze ci najsroższy wróg;
Gdyś tego szczęścia przeniknął sekreta,
  Pogodny idziesz wśród gromów i burz:
Gdzie nogą stąpisz – jak mówi poeta –
  Wszędzie ci życie kwitnie wieńcem z róż!

Wszędzie radości znajdziesz nowe źródło
  I do rozpuku śmiejesz się raz w raz;
Patrzysz, jak grzebią jakieś stare pudło,
  Pomyślisz sobie: „Na mnie jeszcze czas!”
Przystaniesz sobie za trumienką z boku,
  Posłuchasz śpiewu i żałobnych mów,
Dziewczątko małe uszczypniesz gdzieś w tłoku,
  Już się od dawna tak nie czułeś... zdrów.

Wyjdziesz na miasto dla użycia ruchu,
  Z daleka widzisz jakieś twarze dwie:
To Rydel komuś wierci dziurę w brzuchu –
  Pomyślisz sobie: „Dobrze, że nie mnie!”
Niedługo szukasz za nową podnietą;
  Na „Warszawskiego” do kawiarni idź:
Przeczytasz sobie Hoesicka felieton –
  No i sam powiedz: czy nie warto żyć?

W zimowy wieczór spieszysz do teatru,
  W fotelik miękki rozkosznie się wtul:

Ciepło, zacisznie, ni śniegu, ni wiatru,
  Tragedii sobie wysłuchasz jak król!
Z piątego aktu prosto na kolację,
  W gazetce znowu jest nowinek dość:
Tu masz bankructwo, tam znów licytację,
  Z trzeciego piętra zleciał jakiś gość!

Tak sobie chodzisz wesoły jak ptaszek,
  Radosną wszędzie życia widzisz twarz;
Wreszcie znużony i syt już igraszek,
  Wracasz do domu: własny kluczyk masz;
Słychać szmer jakiś, zaglądasz przez szparkę:
  I jak tu człowiek się nie cieszyć ma?
Tam ktoś... ten tego... właśnie twą kucharkę,
  Pomyślisz sobie: ,,Dobrze, że nie ja!"

Śmiejesz się błogo przed zamknięciem powiek
  I dziękczynienia czynisz korny gest:
Byle chciał tylko, znajdzie szczęście człowiek,
  Nie ma co mówić – dobrze jest, jak jest!
Więc choć świat biada: ,,Lepiej wcale nie żyć",
  I pesymizmu słychać zewsząd jęk,
Najmilsi bracia, zechciejcie mi wierzyć,
  Życie jest piękne, życie ma swój wdzięk!!

Pisane w r. 1909

## GŁOS ROZJEMCZY W SPRAWIE PANA WILHELMA FELDMANA CONTRA ROSNER, ŻUŁAWSKI, TETMAJER ETC., ETC.

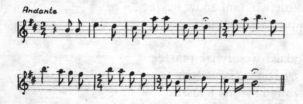

. . . . . . . . . . . . . . . . . . . . . . . .

Pełna wrzasku ziemia polska,
        Oj oj oj
Pełna wrzasku ziemia polska
Od Czikago do Tobolska
        Oj oj oj

Za cóż nas tak karzesz Panie,
        Oj oj oj
Za cóż nas tak karzesz, Panie,
Przez rok słyszym o Feldmanie.
        Oj oj oj

Rosner pierwszy śmignął batem,
        Oj oj oj
Rosner pierwszy śmignął batem,
Chociaż tylko jest hofratem.
        Oj oj oj

Wykazał – herezja czysta!
        Oj oj oj
Wykazał – herezja czysta!
Że Feldman – żaden monista.
        Oj oj oj

Mówił, że u niego we łbie,
        Oj oj oj
Mówił, że u niego we łbie
Nie „Olbrzymy", ale kiełbie.
        Oj oj oj

„Jak pan szmi? Gewałt! Rabacja!
        Oj oj oj
Jak pan szmi? Gewałt! Rabacja!
To jest prosta denuncjacja!
        Oj oj oj

My z Wyspiańskim, to dwa bracie,
        Oj oj oj
My z Wyspiańskim, to dwa bracie,
Z r o z u m i a n o!  Ti... hofraczie!"
        Oj oj oj

Krzyknął Jerzy w wielkiej furii,
        Oj oj oj
Krzyknął Jerzy w wielkiej furii,
Niby poseł z piątej kurii.
        Oj oj oj

„ – Ja ci, p...u, skórę zedrę,
        Oj oj oj
– Ja ci, p...u, skórę zedrę,
Z Wyspiańskiego robisz Fredrę.
        Oj oj oj

Uczysz naród, że Słowacki,
        Oj oj oj
Uczysz naród, że Słowacki
Bez podpisu jest – pod placki".
        Oj oj oj

„Pilnuj pan swoje papiery,
     Oj oj oj
Pilnuj pan swoje papiery,
Pan piszesz – same premiery!"
     Oj oj oj

Zabrał głos pan Kaźmierz Przerwa,
     Oj oj oj
Zabrał głos pan Kaźmierz Przerwa
I przemówił jak Minerwa.
     Oj oj oj

„Bardzo przykry to wypadek,
     Oj oj oj
Bardzo przykry to wypadek
Trącać kogoś nogą w plecy.
     Oj oj oj

Jeszcze przykrzej, oczywiście,
     Oj oj oj
Jeszcze przykrzej, oczywiście,
Czynić to w otwartym liście.
     Oj oj oj

Lecz gdy mi tak popadł w ręce,
     Oj oj oj
Lecz gdy mi tak popadł w ręce,
To już chyba się poświęcę.
     Oj oj oj

Powiedz, ojczyzno, *quousque,*
     Oj oj oj
Powiedz, ojczyzno, *quousque*
Będziemy cierpieć tę pl...ę?..."
     Oj oj oj

Wnet znaleźli się obrońce,
                Oj oj oj
Wnet znaleźli się obrońce,
Trudno – Feldman ma dwa końce.
                Oj oj oj


Mówią przeto: wszystko racja,
                Oj oj oj
Mówią przeto: wszystko racja,
Ale gdzież asymilacja – ?
                Oj oj oj


Wszak to dla nas (sam pan powidz),
                Oj oj oj
Wszak to dla nas (sam pan powidz)
Drugi B e r e k  J o s e l o w i c!
                Oj oj oj


Ach! potnijcież go na ćwierci,
                Oj oj oj
Ach! potnijcież go na ćwierci,
Życzę mu walecznej śmierci.
                Oj oj oj


W bohaterstwa świetnej glorii,
                Oj oj oj
W bohaterstwa świetnej glorii
Niech już przejdzie do historii.
                Oj oj oj


Może kiedyś w tej stolicy,
                Oj oj oj
Może kiedyś w tej stolicy

Też doczeka się ulicy*.
            Oj oj oj

Będziem jeździć do hetery,
            Oj oj oj
Będziem jeździć do hetery (Pst! Fiakier!) –
Feldmana czterdzieści cztery.
            Oj oj oj

                                    Pisane w r.1909


# KILKA SŁÓW W OBRONIE ŚWIĘTOŚCI MAŁŻEŃSTWA

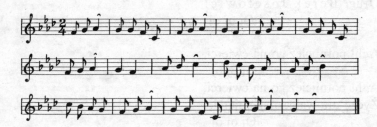

Dziwny jakiś w pojęciach
    szerzy się zamęt,
Czy małżeństwo to kpiny,
    czy też sakrament?
Jakaś zaraza padła
Na wszystkie nasze stadła;
Zamiast siedzieć spokojnie,
Wszystko dziś w wojnie.

* Ulica Berka Joselewicza posiadała w Krakowie swoje osobliwe przeznaczenie. (Przyp. wyd. [autora])

Dawniej, kto się raz złączył
      w bożym przybytku,
Wiedział, że ma do śmierci
      trwać w swym korytku;
   Rozumiał, że ten związek
   To twardy obowiązek,
   Dwie dusze w jednym ciele,
   Flaki w niedzielę.

Co Bóg komu przeznaczył,
      brano w pokorze,
Nikt nie robił grymasów,
      że tak nie może;
   Cel przyświecał im wzniosły,
   Działki ku górze rosły,
   No i tak się tam żyło,
   Jakoś to było.

Jakież dziś społeczeństwa
      przyszłość ma szanse,
Skoro ludzie z małżeństwa
      czynią romanse.
   Dziś, czy prosty, czy krzywy,
   Każdy chce być – szczęśliwy!
   A to czysta wariacja
   Ta demokracja!

Wszędzie dziś do narzekań
      widać tendencję,
Wszędzie skargi na mężów
      imp... ertynencję;
   Trudno, mój miły Boże!
   Każdy robi, co może:
   Wszakże nie jest nikt z panów
   Pułkiem ułanów...

Ówdzie znów mąż stroskany
  krzyczy: o rety!
Jak to, ja mam żyć z gęsią
  zamiast kobiety?
  Są i takie wypadki,
  Fakt znów nie jest tak rzadki:
  Spojrzyj pan po tej rzeszy,
  To cię pocieszy.

Tam znów młode dziewczątko
  wprost od ołtarzy
Staje w progu sypialni
  z powagą na twarzy;
  Zapowiada ci ostro,
  Że chce być tylko – siostrą...
  (Moja miła pieszczotko,
  Bądźże choć – ciotką!)

Wszystko dziś rozwodami
  sobie urąga,
Separacją od stołu,
  no i... szezlonga:
  Łączą się parki lube
  Z sobą niby na próbę,
  Nim nie znajdzie się czego
  Przyzwoitszego...

Gdy więc takie dziś macie
  kapryśne gusty,
Nie mieszajcie kościoła
  do tej rozpusty.
  Kto ma interes pilny,
  Niech bierze ślub cywilny,

Skojarzy młodą parę
Prezydent Sare*.

Pisane w r. 1909

## PIOSENKA PRZEKONYWUJĄCA
Melodia: Delmet, *Petit chagrin*

Gdy twej miłości kwiat już zwiądł,
Nim w kraj daleki pójdę stąd,
                    O mój ANIELE,
W rozstaniu smutnej chwili tej
Wysłuchać mojej prośby chciej:
                    To tak niewiele!

Sentymentalnych zaklęć słów
Nie lękaj się usłyszeć znów
                    Ani rozpaczy,
Nie będę budził dawnych mar:
Wszak musiał prysnąć szczęścia czar
                    Tak lub inaczej...

Na wieki pomnieć będę ten
O twej miłości cudny sen,
                    Upojeń tyle;

* Wariant:
    Trzeba znaleźć w tym celu
    Pokój w hotelu...

Lecz nim me serce strącisz w grrrrrrrób –
Ach, pozwól zostać u twych stóp
                    Jeszcze choć chwilę!

Nim pójdę cicho i bez skarg,
Scałować pozwól z twoich warg
                    Ten wdzięk dziewczęcy –
Niech twoich ust niestarty ślad
Na ustach mych uniosę w świat,
                    Nie pragnę więcej...

W twych sukniach pozwól twarz mi skryć
I choć przez chwilę jeszcze żyć
                    Szczęścia wspomnieniem...
Gdy pieszczot mych palący szał
Twych zmysłów szukał, aż się stał – –
                    Wspólnym westchnieniem...

Twą głowę pochyl na mą skroń
I włosów twych drażniąca woń
                    Niech mnie upoi.
Po raz ostatni jeszcze niech
Usłyszę spazmatyczny śmiech
                    Rozkoszy twojej...

Wysłuchaj zatem prośby mej,
Wszak trudno chyba żądać mniej,
                    Bardziej nieśmiało.
Niech dawnych wzruszeń słodka moc
Odżyje choć na jedną noc,
                    Wszak to tak mało...

Pisane w r. 1907

## «ZIELONY BALONIK» –
## MUZEUM NARODOWEMU

Hołd jubileuszowy połączony z ukonstytuowaniem sal Jana Michalika jako XXII filii tegoż Muzeum.

Nuta: *La Matchitche*

Dość było w Polsce gratów
   Od antenatów;
Lecz się walały w kątku
   Tak bez porządku;
Ażeśmy zbrzydli Bogu
   Bez katalogu,
Więc zesłał nową erę.
   Dał nam – Koperę.

Dyrektor nie dla formy
   Wszczyna reformy;
Sprężysty, chociaż słodki,
   Zmienia gablotki,
Heblują się deszczułki
   Na nowe półki,
W wielki dzwon bije ON,
   Sztuce polskiej wznosi tron.

Najwięcej pożarł cyfer
   Sam kaloryfer;
Pozycja też niecienka
   Schludna łazienka;
Jest wszystko od *A* do *Zet:*
   Angielski klozet;
Są także, z ludzkiej łaski,
   Jakieś obrazki.

Są skarby w tej kolekcji
  Na wszystkie gusta:
Jest urna aż z elekcji
  Króla Augusta;
Choć inni znawcy sądzą
  (Może i błądzą),
Że ją miał Leszek Biały
  Kiedy był mały...

Są różne fotografie
  I etnografie;
Kamienie, co przetrwały
  Z lat dawnej chwały;
Są bijące zegary,
  Cenne puchary.
Co kto ma, niechaj da,
  Niech skarbnica rośnie ta

Śpiewajmy więc *Te Deum*:
  Mamy Muzeum,
Co już ćwierć wieku całe
  Porasta w chwałę;
Dziś doszło do zenitu
  Swojego bytu:
Dalej więc, wznieśmy krzyk,
  Na zdrowie mu – A...a psik!

    Słowiański świat
    Dziś krzyczy mu: wiwat!
    Niech nam sto lat
    Do grata zbiera grat!

Więc schodzą bratnie nacje
  Się na kolację:
Jedzą pieczeń cielęcą,
  Dzień wielki święcą;

Muzyka rżnie od ucha
  Z *Wesołej wdówki,*
Radcy pchają do brzucha
  I kropią mówki.

Potem wydaje festyn
  Czynciel Celestyn
Na wiekopomnym dachu
  Swojego gmachu;
A w końcu Jan Michalik
  Wyprawia balik:
Swoich sal wręcza klucz,
  Łzy mu słodkie ciekną z ócz,

Ten pokój pan opustosz:
  Tu będzie kustosz;
Tam w sieni będzie stało
  Dwóch woźnych z pałą;
Trochę się to zagraci,
  Słowian się sprosi,
Potem Szukiewicz Maciej
  Odczyt wygłosi.

      Więc wznieśmy krzyk:
      Niech żyje Michalik!
      Handelek znikł,
      A „filia" wstaje w mig...

Po filii filia rośnie
  Jak długi Kraków:
Witają je radośnie
  Serca Polaków,
Aż ta stolica cała
  Wreszcie się stała,
Z rozkwitem nowej ery,
  Filią Kopery...

Przechodniów już nie straszy
   Policjant groźny,
Stolicy strzeże naszej
   Uprzejmy woźny;
Prezydent abdykuje,
   Rządy sprawuje
Przebrany Pagaczeski
   W mundur niebieski.

     I – Boże daj,
     Przemieni cały kraj
     W antyków raj,
     Jemu w to tylko graj!

Więc pierś okrzykiem wzbiera
   „Wiwat Kopera!"
Niech długo nam gromadzi,
   Spisuje, ładzi,
Skupuje, segreguje,
   Kataloguje,
A gdy kto, za lat sto,
   Znów odwiedzi cudo to:

Dyrektor z twarzą słodką
   Prowadzi gości,
Gdzie wiszą za gablotką
   Malarzy kości;
Ostatnie to zabytki
   Tej rasy brzydkiej:
Z głodu zdechł – trudno, ech!
   Taki, widać miał już pech`!

*z demonstracjami i pro-
jekcjami świetlnymi!!
sensacyjne!!*

Śpiewajmy więc *Te Deum*:
   Mamy Muzeum!
Niech znów przez wieki całe
   Porasta w chwałę;

Obrazów zakupami
  Niech się nie splami,
A dojdzie do zenitu
  Swego rozkwitu!

        I cały świat
        Wykrzyknie mu: wiwat!
        Niech setki lat
        Do grata zbiera grat!

Pisane w r. 1909

## JESZCZE JEDNA «FILIA» MUZEUM NARODOWEGO
(Napisał Boy & Taper)

Nuta: *Chińczyk warkocz ma... (Gejsza)*

Felix Mangha w swych podróżach zwiedził cały świat
I niejeden przywiózł z sobą osobliwy grat;
I przysięgą kłął się wielką na Kopery grób,
Że z Krakowem jego graty wieczny wzięły ślub!

        Mangha zbiory ma,
            Lecz ich nie chce dać:
        Jeśli chcesz zbiory mieć,
            To, Krakowie, płać!
        Mangha zbiory ma,
            Lecz ich nie chce dać:
        Gdy chcesz
            zbiory mieć –
            pensję płać!

Wnet powstaje wielka „filia" muzealnych sal,
Na początek wydał Mangha w filii wielki bal;

173

W filii sypia, w filii jada, w filii w karty gra,
Kustosz filii buty czyści, po serdelki gna.

Mangha filię ma,
   Lecz jej nie chce dać:
Serce miej, pojąć chciej,
   Że gdzieś musi spać;
Mangha filię ma,
   Lecz jej nie chce dać:
Człeku,
   pojąć chciej
   gdzież ma spać?

Mangha chciał, prócz spania w filii, opierunek, wikt,
Lecz na taki podarunek nie zgodzi się nikt;
Dziś do Manghi już prywatny, nie filialny wchód!
Kustosz został pucybutem, takim jak był wprzód!

Mangha głowę ma,
   Bóg mu rozum dał;
Sypia dalej tam prywatnie,
   Gdzie publicznie spał;
Mangha głowę ma,
   Bóg mu rozum dał,
W rezultacie śpi
   tam, gdzie spał.

Pisane w r. 1907

# MISTRZOWI STYCE

*autorowi projektu napełnienia krakowskiego Rondla swoją panoramą.*

Nuta: *Siedziała na lipie,*
      *Wołała „Filipie..."*

Zobaczył pan Styka,
Jak raz mały kondel
Podniósł zadnią łapkę
I spaskudził Rondel,
        Oj dana!

I przyszła Mistrzowi
Do głowy myśl słodka:
A gdyby to samo
Zrobić ode środka...
        Oj dana – ?

Że ludzie ofiarni
Są w tych czasach rzadcy,
Więc mu deputację
Ślą dziękczynną radcy,
        Oj dana!

Jeśli zatem fama
Publiczna nie kłamie,
Będziem mieli w Rondlu
Grunwald w panoramie,
        Oj dana!

Tak to z małych przyczyn
Skutki są ogromne:
Z niepozornej psiny
Dzieło wiekopomne
        Oj dana!

Lecz w czym niezbadane
Losów tajemnice:
Nie wie nikt o piesku,
A każdy o Styce,
          Oj dana!

Pisane w r. 1909

## POBUDKA

śpiewana przez banderię krakowską w czasie pochodu
jubileuszowego w Wiedniu (1908).

Nuta: *Bartoszu, Bartoszu!*

Wojciechu, Wojciechu,
Nie traćta animuszu,
Strasznie wam do twarzy     }*bis*
W Sobieskich kontuszu

Uziębło, Uziębło,
Lecz znowu przygrzeje,
Lecz znowu przygrzeje,
Narodzie kochany,          }*bis*
Jeszcze miej nadzieję.

Turcyja z Austryją
Znowu się za łby wodzą,
Znowu się za łby wodzą,
Jeszcze polskie szable     }*bis*
Na coś się przygodzą.

Pod Wiedeń, pod Wiedeń,
Droga przez Bronowice,
Droga przez Bronowice,

Włodek już maluje
Kosy i szablice.     }bis

Pan Rydel, pan Rydel
Na odsiecz jedzie z Toni,
Na odsiecz jedzie z Toni,
Sam ma w swojej gębie
Siłę trzystu koni.     }bis

Na Turka, na Turka,
Rukuje pułk trzynasty,
Rukuje pułk trzynasty,
Siadaj na koń, Wojtek,
Poprowadzisz nas ty!     }bis

Pod Wiedniem batalia
Powtórzy się ta sama,
Powtórzy się ta sama,
Czy ten, czy ten wygra,
Będzie panorama!     }bis

Pisane w r. 1908


## POTPOURRI Z MALARSKIEGO ŚWIATKA

Nuta: *Umarł Maciek, umarł*

Oj, w malarskim światku bigos był nie lada,
U każdego w ręku pistolet lub szpada,
Ten z armatą, ten z rapierem,
Ale się skończyło... „Zerem"
    Oj Zero, zero, zero, zero, zero, ro!

Strasznie honorowa była ta afera,
Zbrakło już tużurków czarnych u Gajera,

Gdzie rozejrzeć się naokół,
Wszędzie pisze się protokół
   Oj protototokół protototokół.

Nawet się przelała w końcu krew człowiecza,
Wyczół z strasznym rykiem porwał się do miecza
I pociął na drobne szmatki...
Sekundantom swym – pośladki;
   Oj Wyczół, Wyczół itd.

W „Salonie" znów inne dzieją się igraszki,
Bowiem Blaszke z Raszką wzięli się do Laszczki;
Ładna będzie z tego kaszka:
Laszczka-Raszka, Raszka-Blaszka,
   Oj la la la la la la la-szczka, la la
                           la la-szczka

Przeżyły się, widać, dawne sztuki hasła,
Zatem nowa grupa klei się jak z masła,
A dewiza jej nadobna *(z uczuciem)*
„S p r z e d a ć   r a z e m  –  l u b   z   o s o b n a!"
   Oj Zero, zero, zero, zero, zero, ro!

Został tego dziwu pan Wojciech prezesem,
Wystąpił z hiszpańskim swoim interesem:
Nazbyt śmiała to impreza,
Zrobić z Wojtka Welaskeza:
   Oj, Wojtek, Wojtek itd.

Chociaz mnie do śmiechu bierze chętka szczera,
Jest przysłowie: Śmiać się jak głupi do – „Zera";
Wolę więc z twarzą ponurą
Płakać nad tą awanturą:
   Oj Zero, zero, zero, zero, zero, ro!

Pisane w r. 1908

# PIOSENKA WZRUSZAJĄCA

Nuta: Delmet, *Fleurs et pensées*

Choć twej młodości jasny płomień
Iskrami bucha oszołomień,
  O Piękna ma,
Nie kusi mnie twych wdzięków wiosna,  *
Kiedy promienna i radosna
  Ku życiu drga...

Spoglądam z dala obojętny,
Jak z żądzy szczęścia zbyt namiętnej
  Zatracasz gust –
I patrzę z leniwym uśmiechem,
Jak poisz się wciąż nowym grzechem,
  Wciąż z innych ust...

Lecz kiedy ujrzę w twojej twarzy
Cierpienie, co się w oczach żarzy
  Posępną skrą –
Gdy w smutku widzę cię żałobie,
Ach, wówczas muszę być przy tobie,
  Czuć mękę twą...

---

* Autor uczuł potrzebę wzbogacenia pisowni polskiej nowym znakiem, który pozwala sobie nazwać terminem p e r s k i e  o k o. Znak ten pisarski, którego brak dawał się dotychczas dotkliwie uczuć, zwłaszcza w poezji lirycznej, powinien stać się wkrótce równie niezbędnym, jak dwukropek, myślnik, wykrzyknik itd.

Ty mnie nie kochasz ni ja ciebie,
A jednak tulę cię do siebie,
    Nie mówiąc nic –
I piję smutek twój, dziewczyno,
I piję twoje łzy, co płyną
    Z pobladłych lic...

Czy to jest przyjaźń idealna,
Czy też perwersja seksualna? –
        Obłędu mgły – ?
Ach, nie wiem, co się ze mną stało,
Lecz chciałbym pić przez WIECZNOŚĆ całą
    Twe drogie łzy,
        Twe drogie łzy...

## PIEŚŃ O DOMU MALARSKIM

przedstawiona na uroczyste przedstawienie na rzecz budowy domu uczniów
Akademii Sztuk Pięknych i lekkomyślnie odrzucona przez komitet tejże uroczystości

Nie masz nic w świecie ponad
        życie domowe,

Uczciwe a szczęśliwe
       tanie a zdrowe;
Któż nie wzdycha za sielskim
Domkiem swym rodzicielskim,
Choć zeń zwykle miał w zysku
Sińce na pysku...

Każdy stroi swój domek
       w glorię prześliczną,
Miłością go otacza
       choć platoniczną;
Nawet przy szklance wódki
Społeczeństwa wyrzutki
Śnią o własnym domeczku
W ciepłym szyneczku.

Wszystkim młodość się święci
       jasna i czysta,
Czemuż tułać się musi
       biedny artysta?
Gdy nasz Kraków niepomny
Swojej rzeszy bezdomnej,
Tulą sztuki plastyczne
D o m y – – publiczne...

Teraz wszystko, jak słychać,
       już się odmieni;
Stanie klasztor malarski
       w przyszłej jesieni;
Każdy będzie miał celkę,
Sztalugi i modelkę,
Ciepły kocyk na łóżku,
Wodę w dzbanuszku...

Kwitnie życie rodzinne
       już od poranka,

Wszystko dają na krydę,
　　　　istna sielanka;
Wszystko w domu ma malarz:
Ratafię, starkę, alasz,
Więc piątek czy niedziela
Spity jak bela.

Ani sposób na studia
　　　　wygnać go w pole:
„W domku ciepło i sucho,
　　　　już ja tam wolę!"
Nabrał w domu ochoty
Do uczciwej roboty,
Przepisuje na czysto,
Został diurnistą.

I tak życie domowe
　　　　płynie bez chmurki,
Cieszą się także wasze
　　　　żony i córki;
Zamiast gonić w tym celu
Z artystą do hotelu,
Chronią się, pełne sromu,
W malarskim domu...

Spieszcie więc, krakowianie,
　　　　z ofiarną dłonią,
Niech i biedni malarze
　　　　głowę gdzieś skłonią:
Wszakże i tak z tej braci
Czynszu żaden nie płaci,
Zbędziecie się tej kliki,
Kamienicznicki!

Pisane w r. 1908

# PROROCTWO KRÓLOWEJ JADWIGI

(Ze śpiewów historycznych)

1. Melodia

2. Melodia

Trio

183

*(1. melodia)*

Zaledwie czas świtania,
Po zamku już ugania
     Jagiełło,
     Skirgiełło
(skąd im się to wzięło?) –
Krzyżackiej dość intrygi!
Król woła do Jadwigi:
     „Jadwisia,
     Daj pysia,
Wielka wojna dzisia!"

*(2. melodia)*

Rzecze w te słowa
Słodka królowa:
„Mój miły Władku,
Masz w bród dostatku,
Po cóż ci diabli
Nadstawiać szabli,
Jeszcze, broń Boże,
Kto w łeb dać może!"

*(1. melodia)*

Ofuknie ją Jagiełło:
„Ja wiekopomne dzieło
     Sposobię
     I zrobię,
Wyperswaduj sobie!
Zrozumże, moja śliczna,
Że misja historyczna
     To karta
     Niestarta,
Paru guzów warta!"

Chytrze królowa
　　Śmieje się w głos:
„Różne siurpryzy chowa
　　Kapryśny los...
Ja już od urodzenia
Mam dar jasnowidzenia
I do społecznych kwestii mam bajeczny nos...

Dwie silne pięści
　　Pan Bóg ci dał,
Niech ci się, Władku, szczęści
　　N a  p o l a c h  c h w a ł ...
Dziś górą ciężka łapa,
　Lecz kiedyś, straszna klapa,
Ach, kiedyś lada chłystek będzie z was się śmiał.

*(2. melodia)*

　　　　Już światło bucha,
　　　　Nowego ducha
　　　　Świta zaranie,
　　　　Nic nie zostanie
　　　　Z militaryzmu
　　　　Oprócz komizmu,
　　　　A z tej wielkości
　　　　Spróchniałe kości...

　　　　Inne ja wolę
　　　　Działania pole.
　　　　Inna potęga
　　　　Wieczności sięga
　　　　I nie wygasa:
　　　　A nią jest PRASA!
　　　　Bez jej ochrony
　　　　Chwieją się trony...”

*(1. melodia)*

Nie słucha – dosiadł konia,
W grunwaldzkie pędzi błonia
　　Na znoje
　　I boje,
Tępić wrogi swoje...
Ona, nie bita w ciemię,
Zakłada Akademię,
　　Stypendia,
　　Kompendia,
Różne inne endia.

*(2. melodia)*

Powstają bursy,
Przeróżne kursy,
Literaturę
Dźwiga się w górę;
Goły poeta
Dostał kotleta,
Piszą chłopczyki
Panegiryki...
Skryby zgłodniałe
Pieją jej chwałę,
Przy kuflu piwa
Krzyczą: *Evviva!*
„Cóż to za dama!"
Huczy reklama,
Na święty zydel
Sadza ją Rydel...

*(1. melodia, uroczyście)*

O, wielka ty królowo,
Prorocze Twoje słowo

Z niemałą
Twą chwałą
Faktem dziś się stało;
Bo nikt w dzisiejszym czasie
Bez stosuneczków w prasie –
To, panie,
Gadanie –
Świętym nie zostanie...

Pisane w r. 1907

POŻEGNANIE

Skąd tu temat wziąć do nowej piosenki?
    Skłopotany wzrok wodzę tu i tam;
Wtem zapachną mi bzów rozwite pęki
    Gdzieś z ogródka hen, i już temat mam;
Niech dziś refren mój wiosna sama nuci,
    Niech rozprószy smęt mych jesiennych lat,
Niech młodości mej tętno mi przywróci,
    Niech mi od niej w krąg się rozciepli świat.

187

Dość już piosnce mej jałowych konceptów,
  Wspólnych naszych głupstw zbrzydł mi pusty gwar,
Niech dziś nuta jej drży od cichych szeptów,
  W rytmach jej niech gra pocałunków żar.
Cóż mi wreszcie są wasze wielkie sprawy?
  Obmierzł mi na szczęt własnych słówek spryt;
Dałem może wam parę chwil zabawy,
  Wy nawzajem mnie, więc jesteśmy *quitte.*
Tych niewiele dni, które mi zostały,
  Zanim zacznie świat czcić mój siwy włos,
Wolę klecić już wdzięczne madrygały,
  W służbie pięknych dam stroić lutni głos;
A gdy z czasem, ach, zwykła rzeczy kolej,
  Przyjdzie na mnie to, co się musi stać,
Choć z kretesem już będę *vieux ramolli,*
  W nowej piosnce tej mniej to będzie znać...

Pisane w r. 1912

## DOBRA MAMA

Kiedy nadchodzi wieczór już,
Mówi mama kochana:
„Śpij, ma dziecino, oczki zmruż,
Śpij smaczno aż do rana.

Sukieneczki złóż
Na krzesełku tuż
I wdziej koszulkę nocną;
    Już na ciebie czas,
    Więc ostatni raz
Uściskaj mamę mocno.

Dobranoc, kotku, bywaj zdrów,
Nie płacz mi, że jest ciemno;
Paciorek jeszcze ładnie zmów
Powtarzaj razem ze mną:
    «Aniele stróżu mój,
    Ty ciągle przy mnie stój,
Jak we dnie, tak i w nocy;
    I w przygodzie złej
    Ty koło mnie chciej
Być zawsze ku pomocy»".

Zaledwie mama przeszła próg,
Już jej dziewczynce grzecznej
Z radosnym śmiechem legł u nóg
Braciszek jej... cioteczny;
    Ręce chłopcu drżą,
    Tuli siostrę swą
I gryzie w same uszko;
    To zuchwały smyk:
    Tak jak zawsze zwykł,
Schowany był pod łóżko!

Za chwilę już dzieciaki dwa
W pieszczotach słodkich toną,
Niewinny uścisk długo trwa,
Oczęta żarem płoną;
    Coś skrzypnęło... ach!
    Cóż za straszny strach,
Serduszko bije mocno;

Już się robi świt –
„Adasiu... mnie wstyd...
Oddaj koszulkę nocną..."

Różane ciałko drży jak liść –
„...Adasiu, tak nie można...
Ja muszę przecie za mąż iść,
Ja muszę być... ostrożna!
    Przecie dobrze wiesz,
    Żebym chciała też,
Oddałabym ci wszystko...
    Ale potem... cóż...
    Chyba umrzeć już –
Albo... zostać... artystką..."

Niedługo słychać ranny gwar,
Dzieweczka śpi już sama;
Kneipowskiej kawki niosąc war,
W drzwi wchodzi dobra mama.
    Wlepiła tkliwy wzrok:
    Dziś szesnasty rok
Zaczyna drogie dziecię!
    „Co by tu!... Ach, wiem!
    Waniliowy krem:
Nic tak nie lubi w świecie..."

Pisane w 1911

PIEŚŃ O «RAFAELU»
NOWO UTWORZONEGO
LWOWSKIEGO MUZEUM
zasłyszana na Łyczakowie

Nuta pieśni narodowej: *Jedna baba drugiej babie,*
*Ho, ho, ho!*

Do batiarki w Łyczakowi
    Ho, ho, ho
Przyszedł batiar i tak powi
    Ho, ho, ho:
„Pódźże panna, dziś niedziela,
    Ho, ho, ho,
Pokażę ci Rafaela
    Ho, ho, ho!"

Krótko trwała ta pogwarka
    Ho, ho, ho,
Nie w ciemię bita batiarka,
    Ho, ho, ho:
„Nie będzie ze mną nic z tego,
    Ho, ho, ho!
Schowaj go dla Ciuchcińskiego
    Ho, ho, ho!"

Ale batiar nic nie pyta,
    Ho, ho, ho,
Ino krzepko pannę chwyta
    Ho, ho, ho,
I nim minęła niedziela,
    Ho, ho, ho,
Zobaczyła Rafaela
    Ho, ho, ho!

Pisane w r. 1907

## HISTORIA «PRAWICY NARODOWEJ»
od Bolesława Chrobrego do
Władysława Leopolda Jaworskiego (1907).

Król Bolesław to rycerz był mężny,
W kołach przyjaciół Chrobrym zwan,
W swojej łapie dzierżył miecz potężny
I puszczał wrogów w krwawy tan;
Co wieczora w zamkowej świetlicy
Leżąc w łóżku zwykł grubo się śmiać: „Ho, ho, ho,
Póki jeszcze trzymam miecz w prawicy,
Możecie, dzieci, zdrowo spać!"  } bis

Jadwisieńka kochała Wilhelma,
Ale w narodzie powstał krzyk:
Co? Królem naszym Niemiec szelma?
Wszak lepszy już litewski dzik!
Choć łzy gorzkie zraszają jej lice,
Lecz odważnie podaje swą dłoń:
Przyjm, ojczyzno, tę czystą prawicę,
Idź, mój wianku, polskiej ziemi broń!

I nasz naród, przy pomocy nieba,
W potędze kilka wieków trwał;

Gdzie go tylko n i e b y ł o potrzeba,
Wszędzie się polski husarz pchał;
Z czasem osłabł już zapał szlachcica,
Coraz rzadszy bywał szabli błysk:
Narodowa wciąż biła prawica,
Ale tylko biła chłopa w pysk!...

W końcu nawet już niebu to zbrzydło,
Już nas Opatrzność miała dość;
I rzekł Pan Bóg: „Wytracę to bydło,
Bo już patrzeć na nich bierze złość";
Przyszedł Prusak... Moskal... Targowica...
Na ojczyznę przyszły czasy złe...
Była wprawdzie n a r o d o w a p r a w i c a,
Lecz się znalazła bardzo pfe...

Za tę wielką, bardzo wielką winę
Okrutnie nas pokarał Bóg,
Bo wnet wiarę, WŁASNOŚĆ i rodzinę
Wewnętrzny zaczął szarpać wróg;
Lecz wstał rycerz w papierowej zbroicy
I odwalać jął z grobowca głaz:
Wstań, narodzie, użyj swej prawicy,
Trzecie dzwonienie... ostatni czas!!

Więc wróciły dawnej mocy chwile
I husarz polski odżył już:
Miast miecza dzierży wyborczą sztampilę,
W ręku kataster m a r t w y c h d u s z;
I świadomy swej szczytnej misji
Tak pokrzepia swą słabnącą brać:
Póki jeszcze ja... zasiadam w komisji,
Możecie, dzieci, zdrowo spać!

Dalej sypać podatek narodowy,
Zewsząd pieniądze płyną w bród:

Póki w kasie mamy grosz gotowy,
Póty – z szlachtą polską polski lud!
Niech się święci „Narodowa Prawica",
Odrodzenia niech nam snuje nić:
Niechaj nie wie, co daje lewica,
A będzie długo w chwale żyć!

Pisane w r. 1907


## GŁOS DZIADKOWY O RESTAURACJI
## KOŚCIOŁA PARAFIALNEGO W SZCZUCINIE

*Karolowi Fryczowi*
*z serdeczną przyjaźnią*

Niekze se spocznie na kwile dziadzina,
Toli wędruje jaze ze Scucina,
A razem z dziadkiem beło mnogo luda
    Uźreć te cuda!

Chodziły wieści po najdalsze strony,
Że w onem mieńscu straśne farmazony
Ozgościły się w diabelskiej kompanii,
    W księżej plebanii.

Mówiom, że jakiś, Boże odpuść, malarz,
Co na piechotę tam po prośbie zalazł.

Teraz se żyje niby brat ze bratem
    Z księdzem prałatem!

Cała plebania wysługuje mu się,
Na poświęcanym jada se obrusie,
Miódmałmazyje znoszą temu lichu
    W świentym kielichu.

Zakradło się to na probostwo chyłkiem,
Na mróz świeciło na pół gołym tyłkiem;
Teraz se każe najcieńsze atłasy
    Szyć na portasy.

Sypia se co noc w jegomości łóżku,
Księżą kucharkę głaska se po brzuszku,
Sam mu co rano, święci wiekuiści,
    Ksiądz buty czyści!

Ale najgorsze to zgorszenie czyni,
Że nie przepuści i pańskiej świątyni
I kościół, co się cudami rozsławił,
    Straśnie splugawił.

Kędy janioły wprzód zdobiły ściane,
Teraz kapłony wiszą poskubane,
A tam, gdzie bely świente męczenniczki,
    Tłuste jendyczki.

W ołtarzu widny Boga Ojca profil:
Brodę ma ryżą niby nasz Teofil;
Za złego łotra wisi w Męce Boskiej
    Kunrad Rakowski.

Potem z Krakowa zjeżdża konwisyja,
Napycha brzuchy, aż im się odbija,

I prawią księdzu różne dziwne baśnie,
    Pokiel nie zaśnie.

W bidnego księdza konwisyja wpiera,
Że to najnowszy styl ojca Drobnera,
Co w Rzymie zdobił (taka jucha chytra)
    Świętego Pitra!

Lecz już się skończy ta obraza boża,
Bo dziadek póńdzie aż do konsystorza
I gwałt podniesie taki, że biskupa
    Ozboli głowa...

Pisane w r. 1908

# Z nie wydanej
# «Szopki krakowskiej»

## Na rok 1907 i 1908

## 1. Z AKTU I: *PREZES – BIOGRAF*

Biograf
Moje uszanowanie państwu! Właśnie powracam
z Ostendy;
Wpadłem na chwilę, przechodząc tędy,
Żeby sobie przegryźć jakie ciastko.
Poznałem się tam, prosz paa, z baeczną niewiastką;
Cukierek! Choć cudzoziemka, ale szyk prawdziwie
warszawski!
Udało mi się, prosz paa, zgrabnie wkraść w jej łaski,
Phi!·Co za temperamencik!
Ja tu, prosz paa, tylko na momencik;
Obecnie bardzo ważna zajmuje mnie sprawa:
Piszę właśnie życiorys hrabiego Stanisława,
Więc już od rana we fraku
Siedzę na „Szlaku".

*Wchodzi Prezes.*

A, witam ekscelencję, kochany prezesie,
Opatrzność tu pana niesie!

Nuta: *La ci darem la mano (Don Juan)*

Biograf
Daj mi twą fotografię,
Gdy miałeś lata dwa,
Bo twoją biografię
Napisać pragnę ja.

Prezes
Ja na to nie przystaję,
Ze strachu cały drżę,
Bo mi się coś wydaje,
Że to wypadnie źle*.

---

* Tę strofę pozwolił sobie autor w całości zapożyczyć z ustek nadobnej Zerliny w tekście libretta.

Biograf
Nie lękaj się, prezesie!
Tu nie ma czego drżyć:
Czytelnik dużo zniesie,
Można zeń śmiało kpić.

Prezes
Cierpliwość polska znana,
Lecz to zrozumieć chciej,
Że pan już, proszę pana,
Mocno nadużył jej.

Biograf
Opiszę ciebie ściśle,
To dla mnie mały trud;
Bo wprawdzie rzadko myślę,
Lecz za to piszę w bród.

Prezes
Myśleć – to zgubny nałóg,
Głoszę to wiele lat;
Nie słucha moich nauk
Dzisiejszy krnąbrny świat...


## 2. O HIENKACH MICHALIKOWYCH
## W POWIECIE MIELECKIM
(wiernie z prawdziwych wydarzeń spisane)

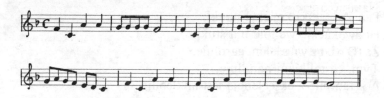

Pan Bobrzyński pod Mielcem stoi,
Do batalii on się już stroi:

199

Hej, starosty, dalej wraz,
Bierzcie gwery, patrontasz,
Bo wyborów z woli ludu już nadchodzi czas.

Pan starosta nosem coś kręci:
„Ekscelencjo, źle się tu święci;
Łeb se urwij, rozum trać,
Nie poradzi gwer, psiamać,
Bo narodu straszną kupę trza by wystrzylać".

Pan Bobrzyński zębami zgrzyta,
Desperacja wielga go chyta:
„Który z was mi powiada,
Jaka na to jest rada,
Ten w hofraty tejże chwili niech mi zasiada!"

„Idź, Esencja, do Michalika,
Weź frajerów se z «Balonika»;
Wszystko zrobiom, jako chcom,
Straśnie zmyśne juchy som,
Choć te psiekrwie w nocy piją, a cały dzień śpiom".

„Niech mi staje tutaj pryncypał,
Dawać chłopców najlepszych na schwał!"
Pan Zakrzeski, gęba fest,
I Leoncjusz dobry jest,
A Kadenek, choć malutki, to największy pies!

Pan Zakrzeski kończył nauki;
Hadwokackie we łbie ma śtuki:
Za D o b r z y ń s k i m gardłuje,
Tym, co mlikiem handluje,
A sztampile z ekscelencją fest anklebuje.

Leoncyjusz to pańskie dziecko,
Nijak mu iść sztuką zdradziecką;

Agituje otwarcie:
Póty wali po mordzie,
Aż Żyd, bestia, co mu każą, wpisze na karcie.

Tak pracują kużdym sposobem,
Bo o wielgą idzie osobę;
A Kadenek, mały gad,
Nic nie pyta, brat czy swat,
Ino, gdzie dołapił kartki, już jom rychtyk skrad.

Na każdego po dwie maszyny;
Nie żałują juchy benzyny!
Do starosty raz po raz:
„Dawaj nam siampana kosz,
Teraz my tu, psiakrew, pany, a ty sługa nasz".

Narodowi polskiemu chwała,
Ekscelencja posłem została;
Zwyciężony na łeb wróg,
Pijatyka, fakelcug,
A hienki do Krakowa wiozą grosza huk!

Z tej wiktorii świetnej wynika
Wielgi honor dla – Michalika;
Tylko jeszcze pytanie,
Czy hofratem zostanie,
Może tylko... austriackie zwykłe gadanie!

Pisane w r. 1907

## 3. KUPLET POSŁA BATTAGLII

Nuta: *Nie masz nad żołnierza*
    *Szczęśliwszego człeka*

Tempo polki.

*(Po każdej strofce powtarza się melodię świstaniem.)*

Nie masz nad Battaglię
Szczęśliwszego człeka,
W przyszłym gabinecie
Nie minie go teka;
Zapracował na nią,
To rzecz oczywista,
Ochrypł od gadania,
Teraz ino śwista!

Żadnych politycznych
Nie zna on przesądów,
Każda partia dobra,
Byle dojść do rządów!
Z jednymi tachluje,
Od drugich skorzysta,
Dalej maszeruje,
Ino sobie śwista!

Na każdego sposób
Jest u tego ćwika:

Na proboszcza miodek,
Szampan na stańczyka;
A dla wszechpolaków
Baczewskiego czysta:
Tak on agituje,
Ino sobie śwista!

Machnie w parlamencie
Trzy interpelacje,
Potem w Mulę Rużu
Smacznie ji kolację!
Tam biedny minister
Wije się jak glista:
On tańczy maciczę,
Ino sobie śwista!

Dziś krajową w Brodach
Wystawę otwiera;
Nazajutrz już w Wiedniu
Gnębi Koliszera;
Poznań – Lwów – Petersburg,
To jazda siarczysta:
Tak se wojażuje,
Ino para śwista!

Choćby się ministra
Rangi nie dosłużył,
Co wypił, to wypił,
Co użył, to użył!!
Więc się nie turbuje,
Co tam, diabłów trzysta!
Dalej se posłuje,
Ino sobie śwista!!!

Pisane w r. 1907

## 4. STUDENT I STUDENTKA
## ZE STOWARZYSZENIA «ETHOS»

*Traviata: Więc pijmy, więc pijmy za zdrowie miłości*

R a z e m
Pracujmy, pracujmy dla szczęścia ludzkości,
  By w Ducha regiony ją wznieść;
Śpiewajmy, śpiewajmy na chwałę czystości,
  W niej życia naszego jest treść!

  Niech zniknie przesąd czczy,
  Co chłopiec, co dziewczyna,
  Gdy skryje peleryna
  Różnice naszych płci...

S t u d e n t
Precz wszelkie nieczyste, przelotne miłostki!
  I myśli ustrzeżmy się złej;
Kto w zmysłów kałuży się zmacza po kostki,
  Ten cały utonie już w niej!

  A choć nam czasem brak
  Tego, co jest w kobiecie,
  Radzimy sobie przecie,
  Niech nikt nie pyta jak...

S t u d e n t k a
A gdy się połączym małżeńskim ogniwem
  I przyjdzie w łożnicy nam lec,
Spłodzimy dzieciątko w skupieniu cnotliwem.
  Rozpusty potrafim się strzec!

  Niech brudnych wzruszeń szał
  Nie skazi pra-czystości
  Bytu, co się z nicości
  Człowiekiem właśnie stał!

Więc piejmy, więc piejmy: precz z wszelkim eks-
                                              cesem!
    I śmiało pospieszmy na bój;
Niech krążą, niech krążą puchary z ceresem*,
    W nich życia nowego jest zdrój!


## 5. GOSPODARZ Z BRONOWIC ŚPIEWA
## W TYM SAMYM PRZEDMIOCIE

Nuta: *Umarł Maciek, umarł*

Umarł Maciek, umarł i już się nie rucha,
Choćby go najtęgsza wabiła dziewucha,
On nie wyda z siebie głosu,
Bo chłop przystał do Hetosu!
    Oj, ta dana dana dana, oj, ta dana da.

Dawniej, kiedy dziwka była grzechu warta,
Choćbyś jej ta zrobił jakiegoś bękarta,
Poszła se z nim ka przed siebie
I nie było dziury w niebie!
    Oj, ta dana... itd.

A choć żałośliwe bywały momenty,
Zwyczajnie, dziewczyńskie sprzykrzone lamenty,
Toś jej pedział: „Nie płacz płaksa,
To od swego, nie od Saksa!”
    Oj, ta dana... itd.

Dzisiaj w tym Hetosie paskudne kaliki,
Dziwki jak wymokłe, chłopy jak patyki,

* Znakomity napój bezalkoholowy.

Wciąż rajcują hokus-pokus,
Jak się wyzbyć ziemskich pokus!
      Oj, ta dana... itd.


Cóż też na was, dziwki, za cholera padła?
Idźże jedna z drugą, zaźryj do zwierciadła.
Nie wiem, czy złakomi kto się,
Cheba tylko w tym Hetosie...
      Oj ta dana... itd.

# Z «Szopki krakowskiej»

Na rok 1911 i 1912
(Boy & Taper)

# 1. KUPLET FOOTBALISTY

Nuta: *Przybieżeli do Betlejem pasterze*

Przyjechali do Krakowa piłkarze,
By nogami strzelać sobie we twarze:
   „Keczkemet" z Debreczyna,
   „Atletikai" drużyna
   Z „Cracovią" zaczyna.

A. B. C. D. E. F. G. H. junior K.,
M. N. O. P. R. S. T. U. jeden, dwa:
   „Keczkemet" z Debreczyna,
   „Atletikai" drużyna
   Mecz się już poczyna.

Wielkie tłumy cisną się na boisku,
Wziął przy kasie jeden z drugim po pysku:
   „Keczkemet" z Debreczyna,
   „Atletikai" drużyna,
   Ten i ów przeklina...

Już w powietrzu leci piłka wysoko,
Prawy ł ą c z n i k już podbite ma oko:
   „Keczkemet" z Debreczyna,
   „Atletikai" drużyna,
   Ładnie się zaczyna.

Już z n a p a d u dwóch zaryło nos w błocie,
Już zrobiono cztery dziury we płocie:
   „Keczkemet" z Debreczyna,
   „Atletikai" drużyna,
   Celu już dopina.

Już Vykoukal nakazuje k a r n y r z u t
Za sportowe pokopanie pary ud:

„Keczkemet" z Debreczyna,
„Atletikai" drużyna,
Ważna to przyczyna!

T y l n y   n a p a d   strzelił w zęby bramkarza,
Piłka w zębach bramkę sobie wyważa:
„Keczkemet" z Debreczyna,
„Atletikai" drużyna,
To im nie nowina!

Leci piłka między gości, robi  a u t,
Jezus Maria! *Herrgot!* Psiakrew! *Dieu! Gewałt!*
„Keczkemet" z Debreczyna,
„Atletikai" drużyna,
Matka drży o syna.

A. B. C. D. E. F. G. H. junior K.,
Zwyciężyli dziś w stosunku sto do dwa:
„Keczkemet" z Debreczyna,
„Atletikai" drużyna,
Piękna to godzina.

Tak narody dwa okryły się chwałą,
A przynajmniej w rannym „Czasie" tak stało:
„Keczkemet" z Debreczyna,
„Atletikai" drużyna,
To gra *fair,* to mina.

Więc na Błonia spiesz, o polska młodzieży,
Ucz się kopać pilnie, tam gdzie należy:
„Keczkemet" z Debreczyna,
„Atletikai" drużyna,
Ojciec rzekł do syna.

Dziś Sobieski, miast na Turkach tępić miecz,
Pojechałby do Stambułu kopać mecz:

„Keczkemet" z Debreczyna,
„Atletikai" drużyna,
Rewanż się zaczyna...


## 2. KUPLET JACKA SYMBOLEWSKIEGO

*Strój: żakiet modnego kroju, pancerz zamiast
kamizelki, koźle nóżki i ogonek*

Nuta z szopki: *Czy to w dzień, czy to w noc*

Ni to pies, ni to bies,
Raz po razu zmieniam stan,
To w pirogu, to znów bez,
To profesor, to znów pan
Na Zwierzyńcu czy też w Tyńcu,
Husarz, dziwka, krowa, chłop,
Wszędzie golę me symbole, ⎫
A ty zgaduj aboś czop! ⎭ *bis*


Czy to sierść, czy to frak,
Zawsze poznać zacny stan,
Czy strój jest, czy stroju brak,
Zawsze jestem grecki Pan.
To w sweterze przy panterze,
To z ogonem, to znów bez;
To ze skrzypką, to znów z rybką, ⎫
Zgadnij, bracie, kto to jest? ⎭ *bis*

## 3. «SOWIZDRZAŁ» DAWNIEJ A DZIŚ

Nuta: *Canzona* Nowaczyńskiego

Kasztelan we Warszawie
Żyje jak Esik prawie,
Pływa se w białej kawie;
   A Sowizdrzał w Krakowku
   Żył we wiecznym przednowku,
   Nie myślał o przychowku.

Kasztelan zna prezesy,
Pija z pany z noblesy,
Złotem połyska z kiesy;
   Sowizdrzał ze „Stasinkiem"
   Nie pogardził i szynkiem,
   Wódę zagryzł piklinkiem.

Kasztelan se na wety
Woła cuda kobiety,
Tyjatry i balety;
   A Sowizdrzał, jak prawią,
   Szedł se cichcem na Pawią,
   Gdzie za ryński się bawią.

Kasztelan we łbie waży
Samych króli, cysarzy,
O nich sztuczki se smaży;
   Sowizdrzała pisanie –
   Same chwalby na dranie,
   A panom srogie lanie.

Kasztelan jest sensatem,
Nie zadziera ze światem,
Z mitrą ani z chałatem;
    Sowizdrzał na przelewki
    Życie brał, a był krewki,
    Klepał biedę i dziewki.

Kasztelan głośny wszędy,
Skrybifaksów gawędy
Pieją jemu kolędy;
    Sowizdrzał, że za flaki
    Targał możne pismaki,
    Nie świecili mu baki.

Tak to bywa z człowiekiem,
Że gdy zmądrzeje z wiekiem,
To opływa w miód z mlekiem;
    A przez boskie skaranie,
    Jeśli głupim zostanie,
    Na portki mu nie stanie......
                            Amen.


## 4. KUPLET ZAKOPIAŃSKIEGO GÓRALA

Zwyczajna nuta góralska

Poglondajom chłopcy jaze spod Orawy,
Ej, cy tez ku nim jadom panienki z Warsiawy?

Pogniły jawory i limbowe lasy.
Ej, ino jesce krzepkie góralskie juhasy.

Bucyna, bucyna, na bucynie wróble,
Ej, kochałek was, pani, jaze za tsy ruble.

Dała mi tsy ruble, nie żądała reśty,
Ej, moja frairecko, kaneś ty, kaneś ty?

Pamiętas te trawke na Grulowej Hali,
Ej, gdzieśwa to Tetmaira ze sobom cytali?

Kosi hale kosiarz, ksywduje se z tego,
Ej, ze tu latoś trawa cosi do nicego.

Wróćze, panno, wróćze jesce tych wakaċji,
Ej, straśnie mi się cnie jus do ty hedukacji!


## 5. KUPLET PADEREWSKIEGO

Nuta: *Preludium Szopena A-dur*

Obu świata kul
Jam dziś tonów król,
Spod mych boskich rąk
Płyną czary w krąg.

Znany w Polsce jest
Mój monarszy gest,
Mój złocisty włos,
Harmonijny głos.

Czy w mej willi w Morż,
Czy w hotelu Żorż,
Muszę, rad nierad,
Olśnić wdziękiem świat.

Jam dziś w Polsce król:
Ludu, gębę stul,
Chciałbym do cię znów
Rzec choć kilka słów...

# 6. KUPLET JANA W DWÓCH OSOBACH STYKI
niedoszłego twórcy panoramy grunwaldzkiej
w krakowskim Barbakanie.

Nuta: *Pomoc dajcie mi, rodacy*

Pomoc dajcie mi, rodacy,
Bo olbrzymia myśl mnie nęka,
Kilometrów zbożnej pracy
Pragnie ma mocarna ręka.
Wielkie duchy ojców wskrzeszę
Witołdowym święte czynem,
Bohatyrów zbudzę rzesze –
Razem z Tadziem, moim synem.

Kto mi w sprawie dopomoże,
Ten mi brat i Polak szczery,
Za to gębę jego włożę
Między zbrojne bohatery.
Miedniak będzie więc Jagiełłą,
Kosobudzki Piotr – Melsztynem:
Velasqueza godne dzieło
Stworzę z Tadziem, moim synem.

Choć ród ducha gasicieli
Żółcią plwa i jadem syczy,
Serc nam w piersiach nie spopieli,
Nie przygasi polskich Zniczy.
Dalej, druhy! Ramię w ramię!
Tężmy się sokolim czynem,
Ja przy świętym czuwam chramie
Razem z Tadziem, moim synem.

Lecz jeśli nasz czyn ofiarny
Z waszych duchów w moc nie wstanie,
Pluniem na ten naród marny
I wrócimy na wygnanie;

214

I w salonie, hen, paryskim
Ozdobimy skroń wawrzynem,
Może nawet z większym zyskiem –
Razem z Tadziem, moim synem.


## 7. KUPLET MŁODEJ POLSKI

Nuta: *Starość* Moniuszki

Dzień za dzionkiem wprawdzie schodzi,
Czas na czole zmarszczki pisze,
Lecz my ciągle jeszcze „młodzi",
Nie starzejem, towarzysze;
Skoro literacka gleba
Tak opornie młodych rodzi,
M ł o d e j  P o l s k i  Polsce trzeba,
My musimy wciąż być młodzi.

Już nam dawno wyszły z głowy
Nad-młodzieńczych szałów głupstwa,
Dawno minął czas godowy
Złotej  R u i  i  P o r u b s t w a;
Lecz atrament dały nieba,
Piórem szaleć – cóż to szkodzi?
M ł o d e j  P o l s k i  Polsce trzeba,
My musimy być wciąż młodzi.

Choć z nałogu nas krytyka
Atakuje z wielkim hukiem,
Ten, co młodość nam wytyka,
Mógłby już być naszym wnukiem;
Więc choć nam już wieczność blisko
I o kuli każdy chodzi,
W weteranów przytulisku
Jeszcze zostaniemy młodzi...

## 8. KUPLET POSŁA Z «RAJCHSRATU» WIEDEŃSKIEGO

Nuta: *Przez czyśćcowe upalenia*

Kiedy posła lud obiera,
Życie przed nim się otwiera,
Więc do Widnia się wybiera
I najsamprzód gdzie zaziera?
   ...Do Puchera.

Pucher – polska to kwatera:
Kwiat narodu tam się zbiera,
Dusze zwiera, myśli ściera,
Za kraj żyje i umiera
     u Puchera.

Przyjacielska atmosfera:
Endek tam stańczyka wspiera,
Horyzonty mu otwiera,
Uczy, co to jest kariera –
     u Puchera.

Solidarność wszystkich zwiera
(Bridż, a czasem coś z pokera),
„Ekscelencjo, inwit w kiera...”
Serce w piersiach Polską wzbiera
     u Puchera...

Praca posła ciężka, szczera:
Z rana – poseł się ubiera,
Fagas listy mu otwiera.
On tymczasem się wybiera
     do Puchera.

Do Rajchsratu t e ż zaziera,
Z dala kiwa na portiera,

Informacje skrzętnie zbiera –
Czy już ktoś się nie zabiera
                do... Puchera.

Separatka u Sachera,
Mizzi, flaszka roederera...
Posła już nostalgia zbiera,
Sennie woła do szofera:
                „Do... Puchera!"

Różnych rządów mija era:
Gautscha, Choca, Schoenerera;
Poseł gęby nie otwiera,
Choć mu swada służy szczera
                u Puchera.

W kraju za to laury zbiera,
Łżc jak heros u Homera;
Rządy zwala, trony wspiera:
Niech spytają się – kelnera
                u Puchera.

W końcu spada gniew premiera
I parlament się zawiera;
Poseł łzawo nos uciera
I tak kończy się kariera
                u Puchera...

## 9. TRYUMFY «POLSKIEGO KABARETU»

Błysła Polsce najmłodszej
    Gwiazda dziś nowa;
Wszędzie twórczość zakwita
    „Kabaretowa".
Gdzie się ruszysz, o rety!
Wszystko śpiewa kuplety,
Ciągnie dowcip za uszy
Z żałosnej duszy.

Był sobie na Stradomiu
    Szynczek narożny;
Chadzał tam na wódeczkę
    Ludek pobożny,
Dzisiaj już nowa era,
Trza im *conférenciera*;
Chwyta w lot stróż Walenty
Wszystkie puenty.

Lał się w klubie przy bridżu
    Pilznerek świeży,
Świadczył każdy każdemu,
    Co mu należy,
Dziś zabawa szeroka,
Tańczy adiunkt kekłoka
I po brzuchu, jak brata,
Klepie hofrata.

Każdy chce dziś do jadła
    Jakowejś śpiwki,
Więc gospodarz sprowadził
    Trzy stare dziwki;
Otruł gościa kotletem,
Nazwał to „kabaretem" –
Za wstęp cztery korony,
Niech was pierony!

Opiewa dziś rytmicznie
    Kabaret w Jaśle,
Że sznycle u poborców
    Nie są na maśle;
Kabaret w Sędziszowie
Z estrady ci opowie,
Co z młodszym sędzią czyni
Pani radczyni.

Przyjechały do tinglu
    Gwiazdy z Berlina,
Co która ma i nie ma,
    Skrzętnie wypina;
Zrozum, jeśli potrafisz,
Czemu wieści nam afisz,
Że to cuda są nowe,
K a b a r e t o w e?!

Tętni humor rodzimy
    Od twórczej weny,
Dla dzieci i wojskowych
    Daje pół ceny;
Sypie attyckiej soli
Do swoich kuneroli,
A poczciwa publika
Łyka i łyka.

## 10. SPRAWOZDANIE PROF. DR HR. M. Y. CIELSKIE-GO Z ROZDANIA NAGRÓD BARCZEWSKIEGO W AKADEMII KRAKOWSKIEJ

Mówi:

...Teraz byłem w Akademii
Na dorocznym jury artystycznej premii.
Co rok, zwyczajeḿ od dawna uznanym,
Sadzamy całą Polskę na cenzurowanym
I oceniamy wszystkie sztuk wszelakich płody,
Aby za obraz przyznać sto koron nagrody.
Zwertowaliśmy wedle wymogów nauki
Całą historię wszechświatowej sztuki;
Sięgnęliśmy aż do Leonarda da Vinciego,
Choć mamy własnego Leonarda, i to l e p s z e g o.
Lecz cóż? Wszędzie przeszkoda jakaś szyki miesza,
Aże w końcu odkryliśmy Kręcinę Mesza:
Stworzył cykl religijny, z dwóch cyklów złożony,
I ten, że tak powiem, bicykl został nagrodzony.

Wracam, proszę państwa, właśnie z posiedzenia,
Gdzie mieliśmy strasznie dużo do czynienia,
    Dać nagrodę taką, wszakże to nie żart!
    Zgadnijże tu, znawco, co tam kto jest wart?!

Więc komisja światła, zwykłym rzeczy biegiem,
Dzieła co najtęższe przejrzała szeregiem,

By zaś gust publiczny ku wyżynom wieść,
W sprawozdaniu naszym damy rozpraw treść.

Prosta sprawiedliwość najprzód tego żąda,
By nagrodę pierwszą dostała *Gioconda,*
   Lecz, niestety, zaszedł taki rzeczy skład,
   Że ją przed uchwałą ktoś zawistny skradł.

Drudzy znów żądali (i też się nie mylą),
Aby do nagrody poprzeć *Wenus z Milo;*
   Lecz poważne głosy podniosły się w krąg:
   Praca bardzo cenna, ale nie ma rąk.

W dziale budownictwa wymieniło jury
Katedrę kolońską poprawnej struktury;
   I Notre-Dame paryską wspominano też,
   Mimo nieskończenia obu przednich wież.

Mamy dzieł i w Polsce zasób znamienity:
Tycjan, w Pacanowie przeze mnie odkryty,
   Rembrandta w Mościskach portret: kanclerz Pac
   (Jedna z najmniej znanych Rembrandtowych prac).

Portret z mego zbioru (wkrótce go wystawię):
Hetmanowa polna – poznać po buławie;
   Chciano już nagrodzić arcydzieło to,
   Cóż, gdy je malował nie wiadomo kto.

Zwracano się nawet do Galerii lwowskiej,
Żądał tego w pismach prezydent Rutowski.
   Lecz lwowski Rafael nie miał dobrych not,
   Chociaż go malował słynny Van der Knoot.

Zresztą owe dzieła obowiązek święty
Wymienić nam każe jeno dla zachęty,

Zapis bowiem tylko te nagradza z prac,
Które przeszły wprzódy przez Szczepański Plac.

Więc komisja światła, po nowym namyśle,
S w o j s k i e  wielkie dzieła rozważyła ściśle
I dziś Polsce całej głosi wzdłuż i wszerz,
Że nagrodę dostał: pan Kręcina Mesz.


## 11. NOWINKI KRAKOWSKIE

Ach, czy już pani wie,
    Moja pani, moja pani,
Ach, czy już pani wie,
Co się stało na A–B?

Mojej szwagrowej brat,
    Moja pani, moja pani,
Mojej szwagrowej brat
Szedł tamtędy akurat.

Aż tu na niego gna,
    Moja pani, moja pani,
Aż tu na niego gna
Ten, co to go pani zna.

Co mówią, że to z tą,
    Moja pani, moja pani,

Co mówią, że to z tą,
Co to od akcyzy są.

Co to ich złapał ktoś,
    Moja pani, moja pani,
Co to ich złapał ktoś
Pod Grażyną, czy tam coś.

Więc, com to chciała rzec,
    Moja pani, moja pani,
Więc, com to chciała rzec,
Babsko grube jak ten piec.

Z nim ten, co pani wie,
    Moja pani, moja pani,
Z nim ten, co pani wie,
Co to niby strasznie dmie.

Strasznie mi hrabski dom,
    Moja pani, moja pani,
Strasznie mi hrabski dom:
Ojciec miał na Wiśle prom.

Więc właśnie sługę mam,
    Moja pani, moja pani,
Więc właśnie sługę mam,
Co służyła przedtem tam.

To, jak jej dali prać,
    Moja pani, moja pani,
To, jak jej dali prać,
Wszyściuteńko było znać.

Ten czarny pędzi w przód,
    Moja pani, moja pani,

Ten czarny pędzi w przód
Tędy, co to tylny wchód.

Tamten chciał zrobić krzyk,
    Moja pani, moja pani,
Tamten chciał zrobić krzyk,
Ale ten tymczasem znikł.

Mojej szwagrowej brat,
    Moja pani, moja pani,
Mojej szwagrowej brat
Widział wszystko akurat.

I poprzysięgał mi,
    Moja pani, moja pani,
I poprzysięgał mi,
Że się temu ani śni.

Ale ja dobrze wiem,
    Moja pani, moja pani,
Ale ja dobrze wiem,
Że już coś tam było z tem.

Co on tak broni ją,
    Moja pani, moja pani,
Co on tak broni ją,
Chyba że sam miał coś z nią?

Okropny dzisiaj świat,
    Moja pani, moja pani,
Okropny dzisiaj świat,
I o taki stary grat!

## 12. KUPLET «ZORGANIZOWANEGO MALARZA»
(z doby strajku w Akademii Sztuk Pięknych)

Nuta: *Czerwony sztandar*

Do szkolnej zaprzężonych taczki
Proletariuszów płynie znój;
Modelki stare, złe spluwaczki,
Grafiki nie ma, w salach gnój! *(bis)*
Dalej więc, dalej więc, wznieśmy śpiew:
Peleryna płynie ponad trony,
A z jej dziur skargi chór bije w mur;
    Do pieców dajcie rur,
Na nos mój patrzcie, jak czerwony –
W tej budzie z mrozu krzepnie krew! *(bis)*


    Ośmiogodzinny dzień pejzaży
    Od dawna nam należy się,
    Hej! Gliny, wódki dla rzeźbiarzy,
    Lub z Akademią będzie źle! *(bis)*
Dalej więc, dalej więc, wznieśmy śpiew:
Peleryna płynie ponad trony,
A z jej dziur bije w mur skargi chór,
    Z nim sztuki polskiej wtór:
Wiśniówki kolor jest czerwony,
Bo w niej artysty szczera krew! *(bis)*


    Precz z dyrektorem, precz z despotą,
    Niech r e k t o r a t u błyśnie dzień:
    Nam rektor stworzy erę złotą,
    Chociażby... zresztą był jak pień... *(bis)*
Dalej więc, dalej więc, wznieśmy śpiew:
Peleryna płynie ponad trony,
A z jej dziur bije w mur żądań chór:
    Gronostajowych skór;
Niech nam obramią płaszcz czerwony
Lub się poleje tutaj krew! *(bis)*

## 13. «POMNIKOMANIA» KRAKOWSKA

Nuta: *Blaszany był... (Nitouche)*

Jak smutną dola jest geniuszy
W dzień ludowego zgromadzenia!
Brązowe nawet więdną uszy
Od ryku, pisków i ględzenia.
Wyłazi trybun jeden z drugim,
Sztandary wietrzy na biedaku
I w przemówieniu setnie długim
Przeciąga go do swego znaku.
  Wieszcz rad by umknąć, lecz, moj Boże,
  Do domu zabrać się nie może,
Bo go lud polski w ziemię wrył.
    Ach, czemuż to?
    Spiżowy był, spiżowy był, bo spiżowy geniusz był.


Zaszczyt go spotka niepośledni,
Że postać jego uwielbiona
Dla wszystkich aktualnych bredni
Kolejno służy za patrona;
Dziś, gdy przyjadą goście z Pragi,
Pan Krk go robi panslawistą,
Jutro „towarzisz" kropi blagi,
Że miał być pierwszym – socjalistą.
  Wieszcz chciałby krzyknąć: „Nie pleć dłużej,
  Bo breszysz, acan, aż sie kurzy!"
Lecz głos geniusza nie ma sił...
    Ach, czemuż to?
    Spiżowy był, spiżowy był, bo spiżowy geniusz był.


Przez lat pięćdziesiąt Komitety
Nad ustawieniem jego radzą
I w czci płomiennej dla poety
Z placu na placyk go prowadzą.

Aż wreszcie, gdy go już ustawią
Na lat choć tysiąc albo na sto,
Wówczas mu wszyscy w uszy prawią:
„Zasłaniasz widok, szpecisz miasto".
  Wieszcz myśli w duchu na te gniewy:
  „A cóż ja winien, moiściewy!"
Darmo się chce choć w ziemię skryć:
    Ach, jak to źle
Spiżowym być, spiżowym być, spiżowym geniuszem
                                              być...


## 14. KUPLET POSŁA WŁ. L. J. AWORSKIEGO

Zły to polityk, co się wścieka,
Bo rozum leży w tym człowieka,
Że jak się nie da, to zaczeka
          Na inny raz;
Niech się tam kłębią cieżkie chmury,
Lecz kto zna dobrze bieg natury,
Ten śledzi zawsze wiatru z góry –
          My mamy CZAS...


Wszak od pół wieku śmierć nam głoszą,
Na Rakowice nas wynoszą
I na nasz pogrzeb pięknie proszą,
          By uczcić nas;

227

A my na te figielki dziatek
Patrzymy z górą kopę latek,
My wiemy, jak się kręci światek –
　　　My mamy CZAS...

Wszak rozum leży w cierpliwości,
Zły to polityk, co się złości;
Co nam przekazał głos przeszłości,
　　　Nie poszło w las:
Kto umie czekać, ten bezsprzecznie
Doczekać musi się koniecznie,
Więc, choćby przyszło czekać wiecznie –
　　　My mamy CZAS...


## 15. «KURDESZ MINISTERIALNY» POSŁA ZIEMI KRAKOWSKIEJ, BRONIMIERZA HETMAJERA

Mówi:

...Ach, przebajońskie! Pamiętam przecie:
Rozdawaliśmy teki w nowym gabinecie.
Bajeczna chwila! Niemiec w intrygach się szasta,
A my wpadamy hurmem, krzycząc: ,,Chcemy Piasta!
Do szeregu! Niech żywi nie tracą nadziei!
Piast musi być ministrem skarbu lub kolei!"
Zlazło biedne Stürczysko z betów na przypiecku
I sumitować nam się zaczął – po niemiecku!
A ja mu palę na tę stękaninę:
,,Nix deutsch! Eques polonus sum, loquor latine!
Facias, psiawiaro, statim Piasta brata
Ministrum fisci, vel via ferrata".
Oblało się też potem przy vöslauskim winku
Ten ostatni zajazd na Francensrinku.

Nuta: *Staropolski kurdesz*

Każ podać t e k i, gospodarzu miły,
Bodaj się Piastów rządy nam święciły,
Niech błyśnie kontusz ponad pludrakami –
Kurdesz, kurdesz nad kurdeszami!

Wspomnijmy przodków szlaki wiekopomne,
Precz Niemce, Włochy, plemiona ułomne!
Nie tym pokurczom przewodzić nad nami! –
Kurdesz, kurdesz nad kurdeszami!

Mężów tu siła, co godni splendoru:
Niech się rozszerzą ściany tego dworu!
Rad siada Polak między ministrami –
Kurdesz, kurdesz nad kurdeszami!

Od ciebie, godny burmistrzu, zaczynam:
Zoczym, czy weźmiesz *partem leoninam,*
Parać wszak zwykłeś się deficytami,
Kurdesz, kurdesz nad kurdeszami!

Postąpże bliżej, mospanie Jaworski!
Pomnij, że nic tu rozum profesorski,
Tu na egzamin weźmiem ciebie sami –
Kurdesz, kurdesz nad kurdeszami!

Był Krzywousty, był Władysław Herman,
Czemuż by nie miał być Ludomił German?
Różnymi dzieje idą kolejami –
Kurdesz, kurdesz nad kurdeszami!

Pokażże Wasze, mospanie Stapiński,
Jak tekę łowi się na kolczyk świński:
Czas już sukmanę upstrzyć orderami –
Kurdesz, kurdesz nad kurdeszami!

A ty, nieboże, Wróbelku, nie bolej!
Przyjdzie powoli na nas wszystkich kolej;
Tylko w garść plunąć, ostro z Niemiaszkami!
Kurdesz, kurdesz nad kurdeszami!

## 16. KOKOTKA KRAKOWSKA Z LINII A–B

Ach, cudne miasto, człek chodzi i chodzi:
To całkiem co innego niż u nas w Łodzi.
To światło księżyca, co z góry
Oblewa srebrem te sędziwe mury.
Te dzwony bijące wśród głuszy,
Ach, jakże mi to wszystko przemawia do duszy.
Co za cudowne zakątki!
Gdzie spojrzeć, jakieś pamiątki:
Inaczej się po takim bruku depce,
Gdzie z każdego kamienia głos przeszłości szepce,
Ach, to moje nieszczęście, że mam głowę tak zapalną,
Że za nic mam zawsze stronę materialną,
Która jest tutaj po prostu fatalną.
...Nieraz człek przymiera głodem,
A jednak nie mam serca rozstać się z tym grodem.
Tłumaczyłam właśnie rudej Mańce,
Że tu rodzimej kultury są szańce.
O, moje ty miasto kochane,
W tobie jestem i zostanę!

Nuta: Walc z *Graf von Luxemburg*

Gdy noc zstępuje z chmur
I Kraków tonie w mgłach,
Orszak wesołych miłości cór

Mknie tam, gdzie wzywa fach!
Asfalt w księżycu lśni,
  Głucho w krąg...
Hejnał w wieżycy drży,
Policjant stoi jak drąg...

    Grodzie nasz,
    Grodzie mar,
    Jakiż masz
    W sobie czar!
  Piękności twojej nigdy dość,
  Choć nieszczególny z ciebie gość...

Dziesiąta razy cztery
Wybiła z czterech wież,
To wielka chwila s z p e r y:
Przechodniu, spiesz się, spiesz!
Wnet pośród głuchej pustki
Zawodzą duchy tam –
Bo duch nie płaci szóstki...
Bodaj to ducha stan!

Pustka, cisza i mrok,
Szmer jakiś – i cisza znów.
Żaden natrętny miłością krok
Nie mąci moich snów;
Asfalt w księżycu lśni,
    Głucho w krąg...
Hejnał z wieżycy drży,
Policjant stoi jak drąg...

Coś wionie dawnym czasem
W tym mieście naszych miast;
Nad wieżyc ciemnym lasem
Migocą ognie gwiazd;
Korono z gwiazd miliona,

O, jakże cudną tyś –
Jedyna to korona,
Jaką widziałam dziś...

Grodzie nasz,
Grodzie mar,
Jakiż masz
W sobie czar!
Piękności twojej nigdy dość,
Choć nieszczególny z ciebie gość...

## 17. OPOWIEŚĆ DZIADKOWA
## O CUDACH RAPPERSWYLSKICH

*Bardzo powolne tempo mazurka*

Posłuchajcie, ludkowie,
Co wam dziadek opowie,
Niech odpocznie sobie kwila;
Wędruje jaz z Raperswila,
    Straśne cuda tam widział.

Siedzi tam moiściewy,
Jenszy dziaduś poczciwy,
Na ślusarce się rozumi,
Różne śpasy kleić umi:
    Zrobili go Koperą.

Jeżdżą ludzie z niebliska
Do onego zamczyska;

Same godne cudzoziemce:
Jangliki, Turki i Niemce.
   Syćko gęby otwira.

Jest tam kijek Kościuszki,
Króla Piasta garnuszki
I fajeczka Kopernika,
Z której se pan kustosz pyka,
   Jak jest w dobrym humorze.

Suwarowa nahajka
I Kolumba dwa jajka,
Kierezyja wenecjańska
I dziewica orlijańska –
   Syćko wisi se społem.

Jest też lanszaft galanty:
Tycyjany, Rembranty;
Sam pan kustosz je malował,
Fatygi se nie żałował –
   Syćko la tej ojczyzny.

Zazdrościł jeden, drugi,
Takiej wielgiej zasługi;
Zrobiły się straśne chryje:
Dawajcież te konwisyje,
   Niech, jak beło, uświadczy.

Więc w zamczysko obronne
Jadą... g ł o w y  koronne,
Lament robią żałośliwy,
Że w tej Polsce nieszczęśliwej
   Jaje mędrsze od kury.

Co tu długo pyskować?
Starszych trzeba szanować;

Więc orzekły pany sędzie,
Że jak beło, tak i będzie
La dobrego przykładu...

# Dziwna przygoda
# rodziny Połanieckich

Noc karnawałowa w zacnym polskim domu 7 przyległego salonu dochodzą dźwięki walca, głos wodzireja ryczący egzotyczne nazwy figur kotylionowych, szelest sukien falujących w tańcu itd. Siedziałem, wpółdrzemiąc, w wygodnym fotelu; wtedy coś mignęło, zaszumiało tuż koło mnie i jakaś zapóźniona para przemknęła jak wicher, wywracając w pędzie, o zgrozo, butelkę doskonałego starego koniaku, którą zachowałem do swego prywatnego użytku. Szanowny napój począł spływać powoli, oblewając strumieniem wspaniałą *Prachtausgabe,* leżącą , jak przystało, majestatycznie na stole polskiego domu. Spojrzałem: była to *Rodzina Połanieckich.* Patrzałem z melancholią na grube welinowe karty, ociekające złotawym płynem, gdy nagle zdało mi się, iż słyszę najwyraźniej jakieś szmery, jak gdyby głosów wychodzących z kartek książki:

. . . . . . . . . . . . . .

– Panie Stachu!
– Co, panno Maryniu?
– Coś panu chciałam powiedzieć... W jednej chwili tak mi się strasznie w głowie zakręciło...
– Dziwna rzecz, bo mnie także... To pewno z gorąca.
– Panie Stachu...
– Co, panno Maryniu...
– Kiedy się wstydzę...
– Nie wierzę, żeby panna Marynia mogła coś takiego pomyśleć, czego by się musiała wstydzić...
– Pan Stach taki dobry, że tak o mnie myśli... ale ja jestem taka... Tak gdzieś głęboko, to ja jestem bardzo zepsuta...
– Moja dziecina droga...
– Panie Stachu... ja chciałabym za mąż iść...
– Pójdzie pani, panno Maryniu...
– Ale ja chcę zaraz...
– Moja złota panno Maryniu, i ja także chciałbym, tak chciałbym, żeby pani znów wróciła ze mną do swego ukochanego Krzemienia...
– E, głupstwo Krzemień... nudna dziura... to nie dlatego...
Aj, strach, jak mi się w głowie kręci... Panie Stachu...

– Co panno Maryniu?

– . . . . . . . . . . . . . . . . . . . . . . .

– . . . . . . . . . . . . . . . . . . . . . . .

– A bo czemu mnie pan Stach nigdy nie przytuli, nie popieści...

– Moja droga panno Maryniu... moja, bardzo moja... moja głowa najdroższa...

– Ale nie tak, panie Stachu, tak mocno, mocno, nie tak jak porządną kobietę, tak inaczej jakoś... ja sama nie wiem, jak...

– Nie można, panno Maryniu... służba boża...

– A, prawda... służba boża...

. . . . . . . . . . . . . . . . . . . . . . . . . . . .

. . . . . . . . . . . . . . . . . . . . . . . . . . . .

– Och, och, och... *(szlochanie)*

– Maryniu, dziecko, co ci jest, dzie-dziecinko mo-moja? (Jakoś mi się, staremu, język plącze. I w głowie mi się czegoś nagle kręci. Pewnie będzie burza.)

– Och, och, och, panie profesorze, panie Waskowski, ja jestem taka nieszczęśliwa... *(szlochanie)*

– Cóż to pannie Maryni jest? Niechże się przytuli do swego starego profesora. O tak, jeszcze bliżej...

– Och, och, och, panie profesorze, pan Stach mnie nie kocha...

– Co też Marynia za głupstwa plecie? Stach Maryni nie kocha? On, najmłodszy z Ariów?!

– A nie kocha...

– Co w tej głowie dzisiaj... Kto by nie kochał mojej dzieciny złotej?

– A pan Stach nie kocha (och, och, och). Zresztą za co by mnie kochał...

– Iii! grzech takie rzeczy mówić. Za co? Oj ty, ty, ty. Za co? A za te oczka śliczne, a za to pysio różowe, a za ten karczek... a za te piersiątka... za te bioderka... za te nóżki małe... a za te łydeczki... ti, ti, ti... ty Aryjko mała, ty szelmutko jedna... a jak

się to stroi, jakie to koronki, jakie hafciki, jakie majteczki...
Ty, ty, ty, kokotko mała...

– Panie profesorze, co pan robi... zobaczy kto... tak mi się strasznie w głowie kręci...

– Będzie burza...

. . . . . . . . . . . . . . . . . . . . . . . . . . . . . . . . . .

. . . . . . . . . . . . . . . . . . . . . . . . . . . . . . . . . .

– Panie Stachu!

– Co, Lituś?

– Tak mi jakoś dziwnie w główce...

– Chodź, kociaku, na kolana...

– A będzie pan Stach pieścił kociaka?...

– Będę, Lituś.

– Tak dobrze u pana Stacha! Tak przyjemnie! To podwiązka. Panie Stachu, co pan robi... Nie można... nie można... panie Stachu! ... Panie Stachu! A jak ja powiem cioci Maryni, to co będzie?... Ha, ha, ha!... jaką pan Stach ma teraz niemądrą minę! A nieprawda, bo nic nie powiem, bo pana Stacha kocham i panu Stachowi wszystko wolno... I mnie też wszystko wolno, bo ja młodo umrę. Tak mi się w głowie kręci, jak wtedy na imieninach, jak piłam szampan... Panie Stachu, tak dziwnie... tak przyjemnie... pan taki strasznie kochany... co pan robi... Panie Stachuuuuu...

. . . . . . . . . . . . . . . . . . . . . . . . . . . . . . . . . .

. . . . . . . . . . . . . . . . . . . . . . . . . . . . . . . . . .

– Bukacki! Słuchaj no, co to jest?... co się tu dzieje? Czy mnie się kręci w głowie, czy co, ale tu tak jakoś dziwnie...

– Nie przeszkadzaj im, Pławisiu, chodź na miasto... Pojedziemy... wiesz, staruszku... tam...

– Nie, nogi mi się czegoś plączą...

– No, to zagrajmy w pikietę.

– Ale z rubikonem.

– Z rubikonem, staruszku, z rubikonem.

. . . . . . . . . . . . . . . . . . . . . . . . . . . . . . . . . .

. . . . . . . . . . . . . . . . . . . . . . . . . . . . . . . . . .

Szepty i szmery ucichły. Widocznie *Rodzina Połanieckich,*

podeschnąwszy trochę, odzyskała równowagę duchową, zachwianą na chwilę zetknięciem się z kilkoma kroplami starego koniaku. Podniosłem się z fotela i uczułem, że mnie samemu nogi się cokolwiek plączą...

Pisane w r. 1908

# Bodenhain

fragment dramatu, znaleziony na Małym Rynku przez pana Ferdynanda Esika, autora dzieła nagrodzonego przez Krakowską Akademię Umiejętności pt. *Kobiety w życiu Lucjana Rydla.*

(Znakomity badacz literatury polskiej, p. Ferdynand Esik, zakupując na Małym Rynku większy zapas śliwek (nie ma jak śliweczki!), zauważył, iż towar zawinięty był w jakiś manuskrypt, którego charakter pisma wydał mu się znajomy. Nie zdradzając swojego spostrzeżenia pospieszył czym prędzej do domu i tu, z zapartym od wzruszenia oddechem, stwierdził, iż ma przed sobą autentyczny fragment pierwotnego rękopisu sztuki Lucjana Rydla pt. *Bodenhain.* Cenny fragment został poddany wyczerpującym badaniom, dzięki którym udało się określić z pewną ścisłością epokę, w której mógł powstać: mianowicie p. F. H. w interesującym studium wykazał, iż czas jego powstania przypada na miesiąc listopad r. 1905, a to na podstawie szczegółowych badań nad rodzajem atramentu, którym tenże fragment był pisany. Mianowicie atrament ten okazał się zupełnie identycznym z atramentem krajowej fabryki spółki zarejestrowanej pod firmą***, która założona w październiku 1905, w miesiącu grudniu tego roku zlikwidowała się, a zatem, jak słusznie wywodzi p. F. H. według rachunku prawdopodobieństwa (ulubionej swojej metody), manuskrypt pisany tym atramentem musiał powstać w miesiącu listopadzie r. 1905. Informacja zaczerpnięta później u samego autora w kawiarni Sauera potwierdziła w zupełności to bystre przypuszczenie niestrudzonego badacza naszej literatury.)

# DRAMATIS PERSONAE

H r a b i a   N a p o l e o n   Zbąszyński . . . . . . . . .   p. Solski

Siostrzeniec jego, S z a m b e l a n, były
    właściciel Długolasów sprzedanych kolonizacji . . . . . p. Sobiesław

Lekkomyślny wnuk  Z i e m o w i t  Zbąszyński,
    właściciel Bodzantowa, *secundo voto* Bo-
    denhainu, silnie obdłużonego i już zagro-
    żonego przez Prusaków . . . . . . . . . . . . . p. Kosiński

P a n   T h i e d e, hakatysta . . . . . . . . . . .   p. Węgrzyn

A g e n t   k o l o n i z a c j i . . . . . . . . . .   p. Bończa

*Scena przedstawia wspaniałe salony bakaratowe w Monte Carlo.*

Hr. Napoleon
*(lat 99, głos drżący)*

Źle, serce, źle poczynasz sobie,
Ja prawdę ci powiedzieć mogę,
Bo jedną nogą stoję w grobie:
Na bardzo zgubną wszedłeś drogę.
Powiem ci, dziecko (znam dość życie,
Znają mnie tutaj wszystkie stoły!)
Kto tak jak ty gra, Ziemowicie,
Ten zawsze w końcu wyjdzie goły!

Ziemowit
*opryskliwie*

Dobrze dziadkowi rady dawać,
Gdy zgarnął znów ze sześć tysięcy!
Sprobuj, dziad, z moim pechem stawiać!

Hr. Napoleon
*z gniewem*

Masz pecha, to nie stawiaj więcej!
Ja nie forsuję, czekam passy
I ciułam talar do talara!
Przysiągłem, że te Długolasy,
Gdzie dzisiaj Prusak się, psiawiara,
Panoszy, i to Bodzantowo,
Gdzie ojców twych próchnieją kości,
Odegram Polsce ja na nowo,
Przywrócę przodków święte włości!
Co wnuk w zbrodniczym strwonił szale,
Odegra dziadka drżące ramię:
Wydrze im kawał po kawale!
Potem – weź sługę swego, Panie...

Kiedy szlagiery, małe, duże,
G u s t u j ę  mą sędziwą dłonią,
Wówczas łez pełne oczy mrużę,
Widzę, jak się  t a m  brzozy kłonią,
Jak słońca zachód  t a m  ozłaca
Świeżo zorane pola czarne,
I szepcę: „Boże, daj, by praca
Moja nie poszła dziś na marne!"

*z rosnącym wzruszeniem*

A kiedy patrzą moje oczy,
Jak  s z ó s t k ę  z  c z w ó r k ą  zły los składa,
Wówczas się krwią me serce broczy,
Że kawał Polski znów przepada!

*płacze*
. . . . . . . . . . . . . . . . .

Że włosy świecę tu siwemi,
Wam to zawdzięczam, wam, wyrodni!
Lecz by ocalić choć piędź ziemi,
Zdolnym wszystkiego, nawet zbrodni!!

S z a m b e l a n

*Excusez moi,* że się ośmielę
Wywody przerwać stryjaszkowi,
Lecz każdy gracz bezstronny powie,
*Que c'était trop,* że to za wiele!
Że pierwszą dobrej gry kondycją
Jest spokój: tutaj passę dają,
*Moi je combine,* czy mam bić ją,
Czy puścić, a tu krewni łają

245

Się, krzyczą, jakieś siwe włosy,
Brzozy, zagony, jakieś groby –
*Je n'en peux plus!* Jeszcze choroby
Tu się nabawię – *et vous aussi.*
Więc pytam stryja: w karty gramy
Czy też piszemy melodramy?

*Słychać szemrania graczy niezadowolonych, że im się przeszkadza: Mais*
*qu'est ce donc! Aber was ist denn doch mit dem alten Trottel etc., etc.*

Głos krupiera

*Messieurs, faites vos jeux! Et vous, espèce de vieux bonhom-*
*me, circulez!*

Hr. Napoleon

Każdy z starego drwi tu dziada,
Gracze szturchają, krupier beszta;
Mniejsza! Ambicja tam nie gada,
Gdy ziemi zagrożona reszta!

Szambelan

*Toujours cette* ziemja!

Ziemowit
*przypada dziadkowi wzruszony do nóg*
                          Twoje słowa
Ranią me serce jak żelazem!
Dziadziu mój, broń ty Bodzantowa!

Hr. Napoleon
*z dobrocią*

Dobrze, przebaczę ci tym razem;
Żeń się z Helenką, weź jej wiano,

Zacznij grać z wolna i roztropnie:
Kto umie cofnąć w czas wygraną,
Ten zawsze w końcu celu dopnie.

*z nagłą furią, bijąc laską o ziemię*

Nie pal się wciąż do własnych butów!!
*z namaszczeniem*

Z Bogiem graj w ustach, z sercem czystem!

Szambelan

*Mais, mon oncle,* dość już tych wyrzutów,
*Laissez chacun,* niech gra swój system.

Hr. Napoleon
*do wnuka*

Jeden ci też warunek kładę:
Będziesz grał przy mnie, pod mym okiem,
Bym mógł w potrzebie dać ci radę
I każdym twym kierować krokiem.
Co dzień wygraną twoją zgarnę,
W woreczek ten na piersiach włożę,
Nie dam, by poszła znów na marne:
Tak mi dopomóż, Panie Boże!

Szambelan

*Ce vieux* oszalał...

Ziemowit
*z rozdrażnieniem*

       Więc to znaczy,
Że mam się oddać w kuratelę,

Że dziad mnie dzieckiem zrobić raczy,
Że już sam grać się nie ośmielę?
Więc tak już zostać mam wyklętym?
Własnego g u s t u, weny własnej,
Tego, co gracza prawem świętym,
Dziad mnie pozbawiasz?!

H r. N a p o l e o n
*prosząc*

                    Upór ciasny
Zgubi cię! Z i e m i ę miej na względzie.

Z i e m o w i t
*gwałtownie*

Jeszcze z rozumu nie obranym!
Z takich układów nic nie będzie,
Ja chcę być mojej karty panem!

H r. N a p o l e o n
*z goryczą i smutkiem*

P a n e m? Z n a s k a ż d y k a r t y s ł u g ą!
Ona władczyni, ona pani,
Ona kieruje złota strugą,
A myśmy wszyscy jej poddani;
W tym, dziecko, mądrość tkwi najwyższa,
By umieć s ł u c h a ć jej rozkazu,
A wówczas ze swojego spichrza
Da ci garść złota raz po razu.

S z a m b e l a n

*Ma foi,* lubię te gadania!
I na stryjaszka przyjdzie kolej.

*do siebie półgłosem*

Nic nie pomogą mu kazania,
Gdy wpadnie w pecha, *vieux ramolli.*

Z i e m o w i t

Ja chcę grać sam, mieć swoją wolę;
Ja się nie zmienię w piernik stary,
Nie umiem pół dnia gnić przy stole,
By w końcu wygnieść trzy talary.

S z a m b e l a n
*znudzony*

*Ah, mon Dieu,* te rodzinne kwasy –
Gry przecież różne są systema:
Ten gra na passy, ten kontrpassy,
Ten woli atak, ten obronę,
Powodów tu do kłótni nie ma,
„*Tout comprendre, c'est tout pardonner".*
Mój system jest...

H r . N a p o l e o n
*do wnuka*

      Tylko tak dalej
Trwoń wszystko, nie miej nic na względzie!
Własne pieniądze bij wciąż, szalej,
A w Bodzantowie Prusak siędzie!
O, gniew nas boski ciężko mierzy
Tobą i podobnymi tobie:
Wy, fryce, dzióbki, wy! fuszerzy!!
Grzebiecie żywą Polskę w grobie!

*Daje znak ręką i wynoszą go na krześle.*

Ziemowit
*sam; biegnie za nim*

Dziadku!... Nie słyszy... tylko echa
Tej sali słowa me oddźwiękły...
Zda się, jakby te mury jękły:
„O, biada temu, co ma pecha!”

*Zegar wydzwania godzinę dwunastą, światła elektryczne ściemniają się:*

Strasznie tu... dziwnie... Z wichru szumem
Wielkie drzwi z trzaskiem się rozwarły...
Przebóg! Do sali wchodzą tłumem
Postacie rzeszy dawno zmarłej...
W złocistych pasach, karabelach,
Szyszakach, deliach purpurowych,
A każdy trzyma w swych piszczelach
Dwie talie kart – – zupełnie nowych...
O! przodków korowodzie święty!
. . . . . . . . . . . . . . . .
Obsiedli z wolna wszystkie stoły...
Tasują karty... Bank zaczęty –

*patrzy przez chwilę z zapartym oddechem*

A wnuk wasz patrzy na to – – goły!!
– – Poznaję ciebie, wojewodo,
J was poznaję, kasztelany:
Każdy z was swoją siwą brodą
Te same tu wycierał ściany...
Ilu was tylko było, ilu...
I ty, Bodzanto, ty biskupie,
Nieraześ zjeżdżał tu w cywilu,
Nie rób min świętych, stary trupie!
Pamięta ciebie ten gmach stary
I twoje sławne, długie passy;

Za wywiezione stąd talary
Wszakżeś zakupił Długolasy!
W snach moich nieraz cię widziałem:
Ubrany w alby, komże, stuły,
Jak złoto garniesz pastorałem,
Jak je ładujesz do infuły!
Wejrz dziś na wnuka swego dolę,
Odwróć ode mnie rękę czarta,
W zaklętym niech nie błądzę kole,
Niech się odmieni wreszcie karta!

*Przyklęka, biskup błogosławi go pastorałem, wskutek czego Z i e m o w i t
wybiega czym prędzej szukać pieniędzy. Tymczasem P a n  T h i e d e, za-
niepokojony szalonym szczęściem, jakie stale towarzyszy sędziwemu H r a -
b i e m u  N a p o l e o n o w i, poczyna się obawiać, iż w ten sposób cała ziemia może powrócić w polskie ręce. Postanawia zatem imieniem komisji kolo-
nizacyjnej wykupić całe Monte Carlo, aby się pozbyć starego, a równocześnie
dosięgnąć szlachtę polską w jej ostatniej ostoi.*

P a n  T h i e d e
*wchodzi*

Verflucht, znów wygrał alter szlachcitz,
Odegrałby, wenn's weiter geht,
Ganzes Posnanckie – na, doch macht nichts;
Czas skończyć to, sonst wird's zu spät.
Also, ostatnie słowo: płacę
Hundert Millionen, letztes Wort.
Mein werden wszystkie te pałace,
Potem szlachcitzen za drzwi, fort!
Kann Dramen schreiben polska szelma,
Nicht grosser z tego będzie zysk!
Wy macie Ridla – my Wilhelma:

*z bezprzykładną arogancją*

Na – welcher hat ein lepszy pysk?!

Was hat erobert Friedrich Wielki,
Nie odda Niemiec ani cal –
A z wasze polnische jaselki
To ja sze bardzo grubo szmial!

*Wchodzi Agent kolonizacji.*

Nun, was ist's?

Agent

       Heute, u rejenta
Akt podpisany.

Thiede
      Endlich, gut!
Służba! Hinaus jetzt ta przeklęta
Polakenbande! (do Agenta) Sie, mein Hut!

*Kładzie na głowę kapelusz.*
*Wpada Ziemowit z plikiem banknotów w ręce.*

Ziemowit

Pieniądze zesłał szczęśliwy traf!
Wspieraj, biskupie! Jetzt frisch ans Werk!
Drżyj, Monte Carlo!

Thiede
*zastępując mu drogę, z urąganiem*

      Wie? Panje Graf?
Nix Monte Carlo, hier ist Karlsberg!

Na znak Thiedego służba wyrzuca Ziemowita za drzwi – zasłona
spada.
                          Pisane w r. 1906

# Z tryumfalnych dni
# śp. «polskiego
# kabaretu»

Niedawne to czasy, kiedy podniosła idea „kabaretu polskiego" przeciągała w tryumfalnym pochodzie przez miasta, miasteczka, niemal przez ciche wioski. Nieliczne zamknięte wieczory krakowskiej „Jamy Michalikowej" stały się mimo woli początkowym ogniskiem istnej epidemii. Od „kabaretów" arystokratycznych w najwykwintniejszych salonach aż do „kabaretu artystycznego" w stowarzyszeniu robotniczym „Spójnia" w Podgórzu kabaretowało wszystko. Rozpleniły się po naszej ziemi, jak grzyby po deszczu, przeróżne, mniej lub więcej wesołe Jamy, Budy, Jaskinie, Ule, Pasieki, Obory etc. Niektóre z tych przybytków, rozrzuconych po rozmaitych naszych stolicach, miałem sposobność poznać. Muszę się pochwalić, że przyjmowano mnie wszędzie bardzo życzliwie i godnie, prze dźwiękach tuszów i „potrójnych kabaretowych", z kwiatami i przemówieniami, w których nadawano mi godność niemal ojca ojczyzny, co (przyznaję się do tej słabości) sprawiało mi wielką przyjemność. Przez wdzięczność pilnie wchłaniałem w siebie to, co widziałem i słyszałem, i za powrotem do domu utrwalałem na piśmie doznane wrażenia. Ponieważ z natury słabo jestem obdarzony pamięcią, nieraz w notatkach moich zdarzało mi się luki w rekonstrukcji tekstu wypełniać moim własnym, przy czym starałem się jednak o ścisłe zachowanie charakteru utworów. Pozwolę sobie tutaj, w bardzo zwięzłych ramach, podzielić się mymi spostrzeżeniami.

Jak wiadomo, głównym filarem takiego przybytku poświęconego chronicznej wesołości o stałej godzinie jest tzw. *conférencier* lub jak chcą inni, *conférencieur*. Nazwa ta nie ma swego odpowiednika w języku polskim – chybaby ją zastąpić (bardzo niedoskonale) rodzimym słowem: pyskacz. Zadania *conférenciera* są wielostronne. Jemu przypada obowiązek oznajmiania w lekkich a dowcipnych słowach zjawiających się na estradzie wykonawców i utworów; przypominania co jakiś czas p.t. publiczności, że jest bydłem, zaledwie zasługującym na dopuszczenie do tego przybytku, którego misteriów nie jest w stanie ogarnąć swoim tępym umysłem etc., etc. Zwykle *conférencier* pełni równocześnie obowiązki sekretarza instytucji. Tak np. znałem jedną z tych „wesołych jam", w której młody i utalentowany poeta, a zarazem sprężysty administrator, ze znakomitą sprawnością łączył obie te funkcje. Skoro upewnił się, że stoliki stałych i wpływowych gości umieszczone są w dobrym miejscu, bez przeciągów, skoro roztelefonował do „wzmiankarzy" potężnych miejscowych „Kurierków", że zatrzymano dla nich najlepsze miejsca i że czeka się z rozpoczęciem spektaklu na przybycie tych potentatów opinii, skoro rozdzielił parę energicznych napomnień służbie co do szybkiej i gorliwej usługi, wówczas przywdziewał symbol „bohemy", aksamitną kurtkę, układał włosy w nieład, wsuwał przed lustrem ręce w kieszenie i pojawiał się na estradzie, otwierając widowisko w tych mniej więcej lub tym podobnych słowach:

Przyszliście tutaj po co? Czy wy wiecie?
Ha, nie zaiste. A więc ja wam powiem:
Przyszliście po to, aby przy kotlecie
Urągać nam tu swym zwierzęcym zdrowiem,
Pełną kieszenią i wypchanym brzuchem,
Co lśni plugawo pod złotym łańcuchem.

Przyszliście do nas tutaj w odwiedziny,
Wy, którym betów waszych już za mało,
Tak jak się idzie do płatnej dziewczyny,
Co wam wydaje na łup swoje ciało
I zbliża do ust, niby winne grono,
Pierś, niegdyś świeżą, dziś, ach, tak zmęczoną...

Przyszliście, wiecznie niesyci burżuje,
Chłeptać wraz z piwem ciepłą krew artysty,
Rzygnąć w głąb serca, co cierpi i czuje,
Za grosz sprzedając wam swój miąższ soczysty,
Marzeń swych tkankę targając na strzępy
Po to, ażeby śmiech wasz zbudzić tępy.

Witaj, motłochu! Siądźmy więc pospołu:
Niech ducha ziści się krwawa gehenna;
Lecz wiedz, że każdy okruch tego stołu

To jako perła przeczysta, bezcenna,
Którą my, w męki ofiarnej godzinie,
Wbrew słowom Pisma rzucamy przed świnie.

Trzeba przyznać, że wrażenie tej lub tym podobnej apostrofy bywało zwykle jak najlepsze. *Conférencier,* nagrodzony hucznym oklaskiem, rzuciwszy jeszcze raz okiem, czy obsługa „motłochu" idzie należytym tempem, opuszczał estradę, aby za chwilę na nią powrócić i zapowiedzieć pierwszy numer programu. Owym pierwszym numerem jest z zasady śpiewana inwokacja do wesołości i szału. Zarazem jednak logika wymaga, aby wszystkie „atrakcje" i *clou* pojawiały się dopiero w dalszej części spektaklu; pierwsze numery, rzucane na stracenie w napełniającą się stopniowo salę, powierza się zazwyczaj siłom początkującym i najsłabiej ukwalifikowanym. Dlatego też na początek pojawia się nieodmiennie młodzieniaszek o niepewnym spojrzeniu, wybladły z tremy, wybiera starannie miejsce w pobliżu budki suflera, w które wrasta nieruchomo, i drżącym a wątłym barytonowym głosikiem rozpoczyna swoją inwokację, w tym wypadku z tekstem oryginalnie napisanym pod ulubioną melodię *Ach, ta trojka...* Przez cały czas tej hulaszczej pieśni największą jego troskę stanowi kwestia, co począć z własnymi rękami, których ilość wydaje mu się w tej chwili stanowczo za obfita. Tekst pieśni może brzmieć mniej więcej tak:

Niech wesoło pieśń brzmi wkoło,
Niechaj dźwięczy śmiech i gwar,
Tyle życia, co użycia,
Niech rozkoszy kipi żar.

Niech rozgłośnie a radośnie
Smutki płoszy jurny żart,
Przy tym znaku stań, Polaku,
Dobry humor tynfa wart.

Niech się w pieśni ucieleśni
Namiętności wrząca chuć,

Dziewko hoża, wola Boża,
Więc tu do nas, do nas pódź.

Więc wesoło, rozchmurz czoło,
Ciesz się, ludu, śmiej i baw,
Upojenie, zapomnienie
Niesiem marnych ziemskich spraw.

Po tym numerze publiczność, mimo iż najżyczliwiej uspo-
sobiona przez energiczną wstępną apostrofę, zachowała gro-
bowe milczenie. Parę zdawkowych oklasków – to i wszystko;
szału i upojenia ani śladu. Żałosny debiutant, złożywszy stu-
dencki ukłon, zniknął za kulisami, natomiast w jego miejsce
zjawia się *conférencier* z objawami widocznego zdenerwowa-
nia na twarzy i odzywa się grzmiącym głosem: ,,Widzę, że
nasza skromna zabawa artystów nie przypadła jaśnie państwu
do smaku! Komu się nie podoba, może się zabierać. Do ting-
lów! Do bajzli! Do zamtuzów! Tam wasze miejsce! Z Panem
Bogiem!" Zawstydzeni słuchacze zwiesili z pokorą głowy; nikt
nie ruszył się z miejsca prócz jakiegoś staruszka, który wysu-
nął się po cichu. Tyran potoczył groźnym wzrokiem po sali i
rzekł: ,,A teraz, dla kolegi Weselskiego jako wykonawcy, jak
również dla autora piosenki «potrójny kabaretowy»". Sala
zagrzmiała potrójnym kabaretowym. *Conférencier* złagodził
nieco surowe oblicze i rzekł udobruchany: ,,A teraz kolega
Weselski odśpiewa wam jeszcze dwie piosenki: *Walc szału* i
*Hulaj dusza*". I tak się też stało.

Po numerze kolegi Weselskiego posypały się dalsze. Były
tam i bajeczki, i ,,morały", i żydowskie anegdoty, i nieodzowny ,,dziadek", i kilka ,,jedynaczek" z obiecującymi pseudo-
nimami, jak ,,milucha", ,,przylipeczka", i różne różności.
Pod koniec pierwszej części programu pojawiły się i ,,gwiaz-
dy". Jedną z nich był liryczny tenor o miłym, dźwięcznym
głosie, wymownej łysinie i dużej dozie sentymentu i smaku;
był to ulubieniec publiczności. Tego wieczora, po raz setny od
trzech miesięcy, zniewolony okrzykami i żądaniami publiczności, odśpiewał swoją najpopularniejszą piosenkę napisaną

do znanej melodii Paul Delmeta *Petit chagrin* (str. 166). Piosenka miała tytuł *Biały kuperek,* a słowa tytułu powtarzały się po każdej strofce utworu. Były tam dzieje jakiejś miłostki studenckiej, dzieje, jak autor zapewniał, nigdy nie zapomniane, a streszczające się w ostatnich wierszach:

Choć odtąd więcej niźli sto
Przemknęło przez m a n s a r d ę mą
   Hrabin i ścierek –
Cóż, gdy wśród tylu drogich głów
W pamięci mojej żyje ów
   Biały kuperek...

Po „gwieździe"przyszło *clou.* Jak oznajmił *conférencier:* „Nasza znakomita koleżanka, Eleonora Duse polskiego kabaretu, wykona berżerety starofrancuskie w stylowym «kostiumie». Tekst tej berżerety, który przytaczam poniżej, widocznie napisany był pierwotnie do znanej melodii *Małgorzatko, kocham cię na rzadko;* jednakże utalentowany muzyk, pełniący funkcje akompaniatora, w tym przypadku zharmonizował akompaniament *à la Weckerlin* tak zręcznie, że istotnie niełatwo się było połapać. Dla zupełnego stylu doczepiła „Duse polskiego kabaretu." po każdej strofce omdlewający refren „tandaradai", zaczerpnięty bodaj czy nie z kolegi Waltera von der Vogelweide.

   Oto tekst tej berżerety pt. *Wietrzyk:*
Nuta: *Margarete, Mädchen ohne gleichen*

Kasieńka gdy usnęła, przyszedł swawolny wietrzyk,
Z koszulką igrał jej ten psotnik śmiało zbyt:
Odsłonił ponad lewym udem figlarny pieprzyk:
Kasieńko, zbudź się, zbudź, bo potem będzie wstyd.

Oj, wietrzyku, mały ty psotniku,
Oj, hultaju, chciałbyś ty do raju,
Mam ja tam, ach, mam ja słodką rzecz,
Lecz nie dla ciebie chowam ją, więc idź, wietrzyku, precz;
   tandaradai, tandaradai.

Przechodził Filon łąką, pasąc owieczki białe,
Wtem patrzy: oczom jego błysnął słodki cud:
Skrada się coraz bliżej, spojrzenia topiąc śmiałe,
Lecz, ach, koszulka broni wstępu wyżej ud.

Ach, wietrzyku, mały ty psotniku,
Ach, hultaju, prowadź mnie do raju,
Wiem ja tam, ach, wiem ja słodką rzecz,
Odsłoń drogę mi, wietrzyku, a potem idź już precz;
            tandaradai, tandaradai.

Na tym stylowym *clou* zakończyła się część pierwsza programu. Oklaski, naddatki, „potrójne kabaretowe", wreszcie półgodzinna pauza. Miło było rozejrzeć się po sali. Stoliki gęsto zajęte przez premierową elitę, piękne panie wygorsowane, wybrylantowane, z podnieceniem w oczach, wchłaniające z rozkoszą atmosferę tego przybytku, mającego w sobie coś z zakazanego owocu; panowie we frakach lub smokingach, wytworni, lecz z owym nieuchwytnym odcieniem poufałej nonszalancji, dostrojonej z najlepszym smakiem do ram wesołego lokalu*, flaszki szampańskiego wdzięcznie kąpiące w kubełkach swe ponętne kształty, słowem: żyć nie umierać! Naraz światła przygasły, w sali zapanowała niemal zupełna ciemność. Ze strony, w której znajdowała się scenka, rozległy się posępne dźwięki pogrzebowego dzwonu, do którego przyłączyła się niebawem przenikliwa sygnaturka za topielców. Wyznaję, że dreszcz mnie przeszedł. „Teraz najciekawsze: część *macabre*", objaśniła mnie uprzejmie sąsiadka. Nie wiedziałem jeszcze wówczas, iż w każdym szanującym się „polskim kabarecie" musi znajdować się w programie pewna ilość numerów „odsłaniających rany społeczne". Wreszcie dzwony ucichły, kurtyna rozsunęła się wśród ciszy przepojonej elektrycznością oczekiwania i na scenie oświetlonej promykiem zimnego seledynowego światła ukazał się *conférencier*. Był

* Styl *Życia nocnego w Wiedniu*.

poważny i skupiony; wytrzymawszy długą artystyczną pauzę
tak przemówił:

Wy, śliczne panie, których pełne biusty
Lśnią od brylantów i drogich kamieni,
Których usteczka śmiech rozchyla pusty,
A oko blaskiem lubieżnym się mieni,
Czyli wy wiecie, że pod wami w dole
Są ludzkie troski, cierpienia i bole?

Wiecież wy o tym, że macie tam braci,
Którym głód skręca wychudłe jelita?
Co drżą od zimna, wprost nie mając – gaci?

Tu mówca zawiesił głos, pewny swego efektu. Jakoż w istocie lekki szmerek przebiegł po sali niby dreszcz po ciele. „To
silne", rzekła półgłosem moja sąsiadka. Poeta, więcej modu-
lując głos, ciągnął dalej:

Że siostra wasza, tak jak wy kobieta,
Aby wyżywić swoje drobne dziatki,
Parać się musi rzemiosłem – gamratki?!

Ten świat my chcemy wam przywieść na oczy,
Ten „padół płaczu", jako wieszcz powiedział.
A jeśli łza wam z źrenic się potoczy,
Płynąc, jak rynną, w piersi krągłych przedział,
Niech nie wstrzymuje jej wasza powieka:
Ta łza wam godność nadaje człowieka!

Zagrzmiała burza oklasków, ale na krótko, bowiem *conférencier* huknął gromkim głosem: „Milczeć!" a równocześnie
ozwał się znów dźwięk dzwonu pogrzebowego i sygnaturka za
topielców. W końcu uciszyło się, kurtyna się rozsunęła i rozpoczął się pierwszy numer odsłaniający ranę społeczną. Było
to jedno z licznych naśladownictw piosenki Schillera (Leona)
*Wiatr za szybami śmieje się.* Tym razem śpiewała ją zgrzy-
biała babcia, która za młodu była kurtyzaną, a obecnie, prze-
suwając nieco zakres pracy w kierunku odpowiedniejszym

swemu wiekowi, pełni obowiązki dozorczyni publicznych miejsc ustępowych. Pomysłowa reżyseria wyposażyła ten numer we wspaniałą oprawę. Skulona babcia siedziała w rogu sceny koło swego instytutu, opodal świeciła uliczna latarnia, z góry sypał gęstymi płatkami śnieg. Za kulisami świstał przeciągle wiatr, wybuchając po każdej zwrotce złowróżbnym refrenem. Śnieg prószył coraz gęściej, babcia śpiewała coraz ciszej, w końcu cisza grobu utuliła ją na wieki. Na scenie zjawił się fizyk miejski, który obojętnie skonstatował zgon, a za nim dwóch grabarzy wyniosło martwe zwłoki.

Oto urywek tekstu:

Tak jak mnie dzisiaj tu widzicie,
Babunią starą i zgrzybiałą,
I we mnie kiedyś drgało życie,
I świat ubóstwiał moje ciało.

    Tłumnie klęczeli u mych stóp
    Hrabiowie, księża i bankierzy,
    Czy który, patrząc na mój grób,
    Pozna, co tam pod spodem leży?

Wiatr za szybami śmieje się:
Psiakrew, to życie takie złe!
Stanie się, co się musi stać,
Ot, lepiej, ludzie, idźcie – spać.

Bywało nieraz, przy niedzieli,
Przychodził do mnie chłopiec żwawy,
Najpierw użyliśmy kąpieli,
A potem innej znów zabawy;

    Ach, jak on brał w ramiona mnie –
    Dziś już tak kochać nie umieją! –
    Na to wspomnienie jeszcze drżę,
    Jeszcze się stare oczy śmieją!

Wiatr za szybami etc.

Pamiętam, jak go potem brali –
Biedactwo, skradł zegarek złoty –
Jak mi nieludzko go szarpali
Wydarłszy z objęć mej pieszczoty;

   Pod topór oddał głowę swą,
   Ach, ludzie, ludzie czy szakale!
   Czyż wiecznie będzie w świecie zło – ?
   Nie widzę polepszenia wcale!

Wiatr za szybami etc.

Spojrzałem po sali: wiele osób płakało.

Następną raną społeczną był nieodzowny „apasz". W ka-
szkiecie nasuniętym na oczy, w kurtce zapiętej pod szyję,
z długim kuchennym nożem w ręce, wił się po scenie, czaił,
przysiadał, opowiadając na nutę udramatyzowanego gassen-
hauera (Tralala) dzieje swojej pierwszej zbrodni:

Mignął mi burżuja tłusty kark zza węgła,
   Ma dłoń go sięgła:
   Runął jak głaz.
Próżno trwożnym głosem o ratunek żebrze,
   Ja, drżąc jak w febrze,
   Zadaję raz,
   Absyntu szklanka,
   Śmierć, ma kochanka,
      etc., etc.

W ogóle konsumpcja absyntu przez polską muzę kabare-
tową była znaczna.

Na usilne żądanie publiczności tenże sam apasz odśpiewał
ulubioną piosenkę Henryka Zbierzchowskiego pt. *Walc no-
cny,* dziś już spopularyzowaną po całej kuli ziemskiej pod
nazwą *Valse brune*:

Gdy noc zapada,
Nim światła latarń pogasną,
Wieszcz po melodię się skrada,
By wydrukować jak własną.
Oto już siódme wydanie,

Zanim się zbrodnia odkryje,
Kupujcież, kupujcież, dranie,
Raz tylko jeden się żyje!...

Dalszy ciąg notatek niestety zaginął.

Pisane w r. 1912

# Uzupełnienia

# [Z IGRASZEK KABARETOWYCH]
## PRZEDMOWA

Poleca się Szanownej Publiczności przeczytanie tegoż Boya *Piosenek i fraszek „Zielonego Balonika",* przy czym czytelnik zyskuje głębsze wniknięcie w INDYWIDUALNOŚĆ autora, zaś autor zyskuje KORON TRZY. Co obu stronom może wyjść tylko na korzyść.

*Boy*

## DWA KOTKI
(z Jachowicza)

Były dwa kotki:
Jeden ładny, lecz z szafki wyjadał łakotki,
    Drugi brzydki, bury,
    Ale łowił szczury.
Którego wolicie, powiedzcież mi, dzieci?
    „Burego, burego!"
    „Ładnego, ładnego!"
Nie mogły zgodzić się dzieci.
    No, a ty, Celinko?
Rozsądna Cesia z poważną minką
Tak rzecze, pomyślawszy przez chwilę maleńką:
„Oba są potrzebne, nieprawdaż, mateńko?"
    Tak odpowie Cesia mała,
    A mama ją uścisłała
Mówiąc: „Spokojnam, Cesiu, o twoje zamęście,
Sama będziesz szczęśliwa i drugim dasz szczęście".

# DESZCZYK
(z Jachowicza)

„Mamo, rzekł Jaś, deszczyk rosi,
Poplami kapelusz Zosi,
Jakże niepotrzebnie pada!"
Tu matka dziecku wykłada:
„Za to po deszczu, me dziecię,
Drzewko bujniej puszcza kwiecie,
Co gdy przyjdzie czas jesieni,
W soczysty owoc się zmieni.
Owoc zaś, kiedy dojrzeje,
Mama araczkiem zaleje,
Doda cytrynki i wina,
Parę kropel maraskina,
Troszkę wody (nie za wiele) –
I sprawi dzieciom wesele.
Każde ze słomką zasiędzie,
Dopieroż to radość będzie!
Tak to deszczyk wszystko krzepi:
Kwiatek, drzewko rośnie lepiej,
Bo Bóg wszystkim mądrze włada". –
„O, kiedy tak, to niech pada!"


# DOLEK

Pytała Femcia Dolka, na co rozum zda się,
Dolek milczał; gdy coraz bardziej naprzykrza się,
Tak powie: „Na to chyba tylko, moje dziecię,
Aby nie być zmuszonym szukać go w kobiecie".

# ODSIECZ WIEDNIA
# CZYLI
# TUALETKA KRÓLOWEJ MARYSIEŃKI
(scenariusz popularnej sztuki z historii Polski w jednym akcie)

*Henrykowi Sienkiewiczowi*

Scena przedstawia jedną z komnat królowej Marii Kazimiery. Jest to duża sala, cała zawalona tureckimi makatami, złotogłowiami, kindżałami, buńczukami etc., których król Jan całe fury znosi do domu z każdej wyprawy w przekonaniu, iż uszczęśliwia tym swoją najukochańszą Marysieńkę. W rezultacie pokój wygląda trochę na namiot wielkiego wezyra, trochę na wystawę sklepu Ignacego Rajala; w niczym zaś nie przypomina buduaru ładnej kobiety. Jest duszny, ciemny i ponury. Królowa Marysieńka cierpi nad tym, ale Jaś robi to z tak poczciwego serca, taki jest dumny i kontent z siebie po każdym świeżym transporcie, że byłoby okrucieństwem rozwiewać jego iluzje. Dziś pokój ten jest jeszcze mniej wesoły niż kiedykolwiek. Przez okna na wpół przysłonięte ciężkimi oponami widać kawałek nieba szary i smutny; po szybach bębni monotonnie deszcz jesienny. I królowa Marysieńka jest dziś smutna – smutna, znudzona i coś jeszcze. Jest to ten stan duszy, który dzisiejsza subtelna psychologia określa nazwą z d e n e r w o w a n i a. Co rok, kiedy nadchodzą te szare dni jesiennej słoty, ogarnia Marysieńkę ciężkie zniechęcenie na myśl, że całe jej życie ma upłynąć w tym strasznym kraju, tak obcym i dzikim. Jakkolwiek jej mała główka nie jest wolna od ambicji, to jednak chwilami królowa ma uczucie, że lepiej byłoby jej żyć w ukochanym Paryżu, choćby jako najbiedniejszej dziewczynie, zmuszonej własnymi dziesięcioma palcami – jeżeli się można tak wyrazić – zarabiać na chleb dla siebie i swego kochanka, niż tutaj być królową Polski, żoną bohatera, i mieć szanse przejścia do historii ludów słowiańskich. W dodatku zdarzyło się królowej Marysieńce wczoraj fatalne nieszczęście. Pewien sprzęt tualetowy, drogi sercu każdej prawdziwej kobiety (choćby nawet kobieta zasiadała na starożytnym tronie królowej Rzepichy), sprzęt ten uległ przez nieostrożność pokojówki stłuczeniu. O tym, żeby podobnie egzotyczny mebel można było w końcu siedemnastego stulecia nabyć w granicach Rzeczypospolitej – ani mowy. Trzeba będzie sprowadzić go przez poselstwo francuskie, co przy tych jesiennych roztopach potrwa Bóg wie jak długo. Gdybyż to było we Francji! W jednej chwili znalazłoby się dziesięciu kawalerów-rycerzy, którzy nie zsiadając z konia, dzień i noc by pędzili na wyścigi, aby usłużyć swojej królowej! Ale tu! w tym dzikim kraju! Jak to nawet wspomnieć o podobnej „materii" tym podgolonym wąsaczom? Zaraz by się to zaczęło puszyć i parskać na sejmach o zniewagę klejnotu szlacheckiego! To drobne na pozór zdarzenie przepełniło miarę goryczy w sercu królowej Marysieńki. Nigdy nie poczuła się w Polsce tak obcą, tak osamotnioną jak dzisiaj. W tym niepozornym meblu tualetowym – który, jak mówi poeta, ile trzeba cenić, ten tylko się dowie, kto go stracił – w tym mebelku zogniskowała się w tej chwili i usymbolizowała (mówiąc znowu stylem znacznie późniejszym) cała tęsknota za słoneczną Francją, za jej dworem świetnym i wykwintnym, za rycerstwem tak pełnym męskości, a przy tym tak rozumiejącym i odczuwającym kobietę aż do najbardziej codziennych i na pozór pospolitych drobiazgów.

Pozostała jeszcze jedna słaba nadzieja. Sprawczyni tego nieszczęścia, pokojówka królowej, Anusia, ładna i niegłupia dziewczyna, z własnego pomysłu postanowiła oblecieć co najznakomitsze panie krakowskie i próbować, czy nie udałoby się gdzie pożyczyć owego skromnego sprzętu, który obecnie zajmuje wszystkie myśli królowej Polski. Marysieńka oczekuje z niecierpliwością jej powrotu, aby zaś skrócić wlokące się godziny, dzwoni i wzywa swej lektorki.

Biblioteka królowej Marysieńki nie jest zbyt bogatą ani zbyt urozmaiconą. Królowa nie jest modernistką; przeciwnie, ma wielką nieufność do współczesnej literatury. Za nic w świecie nie wzięłaby do rąk chorobliwych elukubracji takiego Corneille'a, a nie mówiąc już o rozczochranej poezji młodego Racine'a. Całą lekturę królowej stanowi kilkanaście tomów starej galanterii francuskiej, przede wszystkim zaś ukochany Brantôme, którego *Vie des dames galantes* jest dla Marysieńki ewangelią wszelkiej ludzkiej mądrości.

Królowa Marysieńka, leniwa jak kotka, nie czytuje zwykle sama, ale każe głośno czytać swoim dworkom, z których jedna właśnie z pełnym czci ukłonem wchodzi do pokoju. Jest to najmłodsza córka słynnego zbaraszczyka, panna Jadwiga Skrzetuska, śliczna na polski sposób dziewczyna o niewinnym i niezbyt rozbudzonym wyrazie niebieskich oczu i pysznych blond włosach, spadających ciężkim warkoczem na krzyże. Ma niezwykle piękny, słodki dźwięk głosu i jest ulubioną lektorką królowej.

Te godziny czytania stanowią ciężką troskę i niepokój miniaturowej duszyczki panny Jadwigi Skrzetuskiej. Przychodzi czytać jej rzeczy, od których, choć je tylko na pół rozumie, włosy powstają jej na głowie; w tych zaś, których nie rozumie zupełnie, dusza jej i ciało przeczuwają jeszcze bardziej niepokojące tajemnice. Chwilami nie może doczytać zdania, bo głos załamuje się jej nagle ze wstydu czy wzruszenia: czasem – mówiąc po Sienkiewiczowsku – krew napływa dziewczynie do twarzy tak prędką falą, iż czuje w skroniach uderzenia własnego pulsu. Pomimo to za nic nie odważyłaby się prosić królowej o zwolnienie z czytania; zbyt kocha ją i uwielbia, aby miała jej zrobić tą przykrość. Przy tym – rzecz trudna do wytłumaczenia i która chyba tylko interwencją złego ducha dałaby się objaśnić – ilekroć upłyną dwa lub trzy dni, a królowa nie wezwie swojej Jagusi do czytania, pannie Skrzetuskiej godziny wydają się dziwnie długie i doznaje uczucia jakiejś nieokreślonej tęsknoty i żalu. Aby uspokoić swoje strapione sumienie, obmyśliła sobie panna Jadwiga taki sposób: oto stara się czytać samym tylko głosem, zaś w myśli nieustannie odmawia w kółko *Zdrowaś Maria, Dziesięcioro przykazań* i *Wierzę*. Niekiedy – nie zawsze niestety – dzięki temu sposobowi udaje się jej zupełnie nie rozumieć i prawie nie słyszeć słów czytanych. Za to wieczorem, kiedy już odmówi pacierz i spocznie pierwszym półsnem zmorzona, wówczas biedna panna Jagusia w swoim panieńskim łóżeczku zupełnie jest bezbronna wobec oblegających ją dziwnych rozmarzeń, nie wiadomo skąd spływających drobniutkich, a delikatnych pieszczot, słodkich i drażniących szeptów, brzmiących jej bezustannie w uszach, a będących echem czytanych mechanicznie ustami wyrazów.

Królowa Marysieńka zbyt jest sprytną i wrażliwą, aby miała nie widzieć tych opresji biednej Mademoiselle Jagusi – lecz, rzecz dziwna, to właśnie sprawia jej jakąś oryginalną, a bardzo mocną przyjemność. Dzięki pośrednictwu panny Jadwigi odnajduje Marysieńka w swoim ukochanym, lecz nazbyt już często odczytywanym Brantômie źródło nie znanych przedtem wzruszeń. Zdaje się, że te grube i dosadne słowa starego pisarza, którymi jednak naiwna zmysłowość umie się wypowiadać aż do najsubtelniejszych jej odcieni, nabierają jakiegoś nowego i szczególnego wdzięku, kiedy przechodzą przez niewinne usta tej polskiej dziewczyny; te opowiadania rubaszne a wytworne, cyniczne a tkliwe, odsłaniają królowej Marysieńce jakieś nowe i drażniące uroki, kiedy ich słucha recytowanych miarowym głosikiem i bardzo niedoskonałym akcentem francuskim panny Jagusi. Królowa lubi śledzić ten rumieniec, wykwitający raz po raz na licach panienki (w twoje ręce, Henryczku!), lubi przyglądać się spod zmrużonych powiek, jak tak zwana pierś dziewicza faluje przyspieszonym od tłumionej emocji oddechem. Zresztą, królowa Marysieńka nie analizuje głębiej swoich uczuć; gdyby była bardziej literacko wykształconą, wiedziałaby, że to, czego w tej chwili doznaje, jest znaną perwersją, właściwą zboczeniu umysłowemu zwanemu dekadentyzmem lub schyłkowością. Ze względu na zbliżający się koniec wieku siedemnastego dałby się może ten objaw podciągnąć także pod kategorię *fin-de--siècle*'izmu.

Dzisiaj królowa Marysieńka rozpoczyna lekturę z podwójnym zainteresowaniem. Marzeniem jej jest od dawna, aby za jej panowania nieśmiertelna książka Brantôma przetłumaczoną została na język polski; pragnęłaby zostawić tę pamiątkę po sobie temu, bądź co bądź, oryginalnemu narodowi, z którego dziejami przypadek, ucieleśniony w okazałe kształty Jasia, połączył jej losy. Zdaje się królowej Marysieńce, że łatwiej będzie słabej kobiecie rządzić tym dzikim krajem, jeżeli choć cząstka galijskiej kultury erotycznej przeniknie do wnętrza twardych i okrągłych sarmackich czerepów. Królowa wyrażała niejednokrotnie głośno to życzenie i oto dziś właśnie imć pan Górka, dworzanin jej królewskiej mości, jak fama głosi, ojczystą mową tak wiązaną, jak i niewiązaną z niepospolitym kunsztem władający, złożył w dani u jej stóp królewskich rękopis, zawierający tłumaczenie kilku rozdziałów ulubionej książki.

– Na czym stanęłyśmy ostatnim razem, *ma petite Żagussia?*

Panna Skrzetuska zarumieniła się jak wiśnia i odparła drobnym, niewinnym głosikiem:

– Najjaśniejsza pani, zaczęłyśmy czytać dyskurs piąty, zaintytulowany: *Sur aucunes dames vieilles, qui aiment autant à faire l'amour que les jeunes.*

Królowa zamyśliła się chwilę, wsłuchana w melodię tych naiwnych wyrazów, brzmiącą jakby odcieniem delikatnej melancholii, westchnęła cichutko i rzekła:

– Dobrze. Przeczytaj mi teraz, Jagusiu, jak ten rozdział przetłumaczył na wasz język imć pan Górka.

Panna Skrzetuska wzięła do rąk rękopis, z pąsowej zrobiła się karmazynowa, ale mężnie zaczęła czytać. *Rozmyślanie piąte: O poniektórych matroniech obstarnich, które porubstwem plugawią się rade po równi z młódkami.*

Marysieńka z krzykiem przyłożyła rączki do uszu:

– Dosyć, przez miłość Boga! *Quelle horreur! Quelle langue exécrable! Mais c'est une brute que ce Gorka! Assez!* Żagussia, dosyć.

Królowa rzuciła się, zniechęcona, na turecką sofę. Czuła, że w tej chwili coś się w niej przełamuje. Prysło ostatnie złudzenie, aby kiedyś mogła zżyć się i zbliżyć z tym dzikim plemieniem, którego rządy Opatrzność złożyła w jej ręce. Na zawsze miała pozostać dla tych ludzi obca i nie zrozumiana, tak jak oni dla niej również obcy i nienawistni. Korona wydała jej się dziwnie ciężką!...

Było jednak widocznie przeznaczone, aby nieszczęsna pani tego dnia wypiła do dna swój kielich goryczy, gdyż w tejże chwili wbiegła do pokoju zdyszana Anusia i paplać niemiłosiernie poczęła opowiadać swoje peregrynacje:

– Najjaśniejsza pani, ledwo tchu złapać mogę, obleciałam pół Krakowa i wszystko na próżno. Najpierw pobiegłam do jaśnie oświeconej księżnej Gryzeldy Wiśniowieckiej, matki nieboszczyka króla. Alem się też wybrała! Wyłożyłam jej, o co chodzi, a ta jak nie wypadnie na mnie z pyskiem, to niczym ksiądz Skarga. „Wszystko Bóg odjął temu nieszczęsnemu narodowi (powiada), wszystkimi klęskami go doświadczył (powiada), ale (powiada) jedno mu jeszcze zostawił, to jest wstyd (powiada) i obyczajność. Póki te żywią (powiada), jest jeszcze nadzieja lepszej przyszłości. Dopiero kiedy z cudzoziemskich krajów (prawi) pod pozorem ochędóstwa wkradną się do Polski te wszeteczne i bezbożne praktyki, to będzie znakiem, iż Pan w swoim gniewie postanowił zgubić do szczętu ten obłąkany naród. Nie wierzę (powiada), iżby tak zbezczeszczone wnętrzności niewieście mogły urodzić dobrego Polaka, prawego syna ojczyzny". W końcu kazała oznajmić najjaśniejszej pani, iż przez cześć dla majestatu będzie się starała puścić w niepamięć tę niebaczną prośbę, ale błaga ją na wszystko, aby się opatrzyła i nie zapomniała, co jest winna sobie i swojemu narodowi. Księżna się popłakała, tak ją ruszyła własna elokwencja, a ja pobiegłam do jaśnie wielmożnej hetmanowej polnej, Barbary Wołodyjowskiej, mieszkającej tuż wpodle. Luba kobiecinka, choć do rany przyłożyć. Niebożątko nie mogło ani w ząb wyrozumieć, o co chodzi; jako żywo o czymś podobnym jeszcze nie słyszało. Dopieroż to zaczęło oczka szeroko otwierać, a rączętami plaskać, a wstydać się, a chichotać, a zasłaniać, a wypytywać. Trzy razy musiałam jej powtarzać, zaczym uwierzyła. Nie byłaby mnie i do godziny wypuściła, ale szczęściem nadszedł pan hetman polny, tedy poskoczyła ku niemu i poczęła swojemu Michałkowi o onych zamorskich cudach opowiadać. Potem byłam jeszcze u kilku innych pań, ale już nie wdawałam się w długie dyskursy, tylko dla pośpiechu kazałam oznajmiać, że jej wysokość królowa polska i wielka księżna litewska prosi o pożyczenie tego interesu, co pani wie, bo nasz się potłukł, to mnie za niespełna rozumu poczytali i pod kurek chcieli prowadzić, a potem...

Królowa przerwała, zniecierpliwiona tą paplaniną:

– A u pani kanclerzyny Ketlingowej byłaś? Przecież to pierwsza elegantka w stolicy?

Byłam, i owszem, i po długich certacjach mi wyznała, że w sekrecie przed swym spowiednikiem używa srebrnej salaterki i radzi jej królewskiej mości zrobić to samo.

W tej chwili, kiedy Anusia kończyła swoje opowiadanie, a królowa, bliska omdlenia, po raz wtóry osunęła się na sofę, weszło do pokoju dwóch hajduków, niosąc starannie opakowany i ciężki widocznie przedmiot, a za nimi rękodajny królowej, który oznajmił: „Od jego świątobliwości nuncjusza papieskiego". Królowa, zdziwiona niepomiernie, albowiem o przybyciu nuncjusza do Krakowa nic jeszcze na dworze nie było wiadomo, poskoczyła żywo i nie bacząc na majestat, własnymi poświęcanymi rękami poczęła otwierać paczkę. Któż opisze zdumienie królowej na widok, jaki jej oczom się przedstawił. Był to ni mniej, ni więcej, tylko ten właśnie mebelek, który od dwóch dni stanowił przedmiot wszystkich jej pragnień i marzeń. Ba, i jaki jeszcze do tego? Był to ciężki, masywny sprzęt, cały wykuty w srebrze, o szerokim brzegu pokrytym wokół rzeźbą roboty tak przedziwnej, iż wyszła chyba spod ręki samego przesławnego Benwenuta. Było tam po jednej stronie wyobrażone narodzenie z piany morskiej bogini pogańskiej zwanej Afrodytą, po drugiej zaś wywczasy starożytnej pani Ledy z ptakiem łabędzim, obie zaś sceny tak misternie były przedstawione, iż Marysieńka swych dostojnych oczu oderwać nie mogła, bo jak żyje, czegoś tak pięknego widzieć nie raczyła. Wewnętrzna powierzchnia naczynia cała była wyzłacana, zaś na samym dnie, znowuż w srebrze wykute, błyszczały białe lilie Burbonów. Ten widok dopełnił miary wzruszeń dnia dzisiejszego. Łzy puściły się z oczu nieszczęśliwej królowej. „O moja Francjo! – wołała, na przemian śmiejąc się i płacząc (zupełnie jak w powieściach). – O moja ojczyzno ukochana, czyż nigdy cię nie zobaczę, czyż nigdy nie wrócą szczęśliwe dni mojego dzieciństwa?"

Spłaciwszy tymi słowami dług podnioślejszym uczuciom, królowa oddała się cała pospolitej ciekawości. „Skąd ten dar wspaniały, a tak w porę, jakby za pomocą czarów przybywający? Któż jest ów śmiertelnik – pytała znowu z patosem właściwym monarchom – który ośmiela się w swą dozgonną dłużniczkę przemieniać królowę Polski?"

Rzecz wyjaśniła się częściowo przy pomocy Anusi. Mocno zmieszana dziewczyna wyznała, że kiedy wracała do domu, natknęła się na jakiegoś pana pięknie i bogato przybranego, który na próżno usiłował porozumieć się w mieście za pomocą francuskiego szwargotu. Dopomogła mu w tym kłopocie, on zaś zaprosił ją do swej gospody, aby tam jej swoją wdzięczność wyrazić.

Dowiedziawszy się, iż jest w służbie u jej królewskiej wysokości, począł ją wypytywać bardzo szczegółowo a zręcznie o różne sprawy dotyczące królowej, tak iż ani się spostrzegła, kiedy o wszystkich tego dnia przygodach i o kłopocie jej królewskiej mości wygadała. Ten pan (bardzo grzeczny i ludzki) śmiał się do rozpuku i wydawał się bardzo kontent, i nikt inny, tylko on musiał to śliczne cacko przysłać...

– Dobrze, moje dziecko, ale tu oznajmiali przecież, że to od jego świątobliwości nuncjusza papieskiego. Czy nie powiadał ci ów pan, kim jest, może jaki dworzanin jego świątobliwości?

– I owszem, pytałam go się, z kim miałam przyjemność, ale tylko śmiał się, poklepał mnie po plecach i powiedział, że każdy, jak umie, na życie pracuje i że żadna praca nie hańbi...

Tak skończyła się relacja Anusi. Na szczęście królowa była zbyt zaabsorbowaną, aby mogła zwrócić uwagę na pewne, może nie dość jasne szczegóły tego opowiadania.

Ów tajemniczy nieznajomy, z którym Anusia miała przyjemność i który tak dziwnym przypadkiem wszedł w posiadanie sekretu korony polskiej, był to nie kto inny, jak sama jego świątobliwość nuncjusz papieski we własnej osobie. Jakoż w godzinę później, wezwany przez umyślnego na szczególną audiencję przed oblicze królowej, która pała chęcią wyjaśnienia tego niezwykłego zdarzenia, zjawia się na pokojach jej królewskiej mości.

Nuncjusz nosi nazwisko duca de Perier-Jouet z przydomkiem Brut i należy poniekąd do królewskiego domu Francji, będąc jednym z licznych naturalnych wnuków Henryka IV. Książę przechodził w życiu banalnie interesujące koleje powieściowego bohatera. Przeznaczony przez Mazarina do stanu duchownego i prawie przemocą na księdza wyświęcony, uciekł za granicę, bawił przez jakiś czas w Anglii, gdzie od szeregu lat naturalizowała się starsza hugonocka linia książąt Perier-Jouet, przybrawszy przydomek Extra-Dry, następnie tułał się po dworach zagranicznych, zarabiając na swoją garderobę wtajemniczaniem niemieckich księżniczek we francuskie kunszta miłosne. Powróciwszy do Francji, wdał się zbyt gorliwie w intrygi dworskie, wskutek czego popadł szybko w ponowną niełaskę i przeszedł do służby papieskiej, przyjęty tam z otwartymi rękami. Obecnie wysłany został do Polski ze specjalną misją. Chodzi o to, aby jako Francuz, człowiek wielkiego rodu, zręczny i światowy, zyskał wpływ na Marię Kazimierę, która nie cieszy się u papieża opinią zbyt mocnej głowy, i w ten sposób przeciwważył zabiegi dworu wersalskiego w kwestii polityki austriacko-tureckiej Jana III, a właściwie wszechwładnej Marysieńki. Zrozumiałą jest zatem rzeczą, jak skwapliwie jego świątobliwość pochwyciła dziś sposobność oddania królowej tak ważnej przysługi i uzyskania na początek jej względów. Prześliczny mebelek, za cenę którego jego świątobliwość już w godzinę po przybyciu do Krakowa zdołała uzyskać szczególną i pod tak pomyślnymi auspicjami zapowiadającą się audiencję, ma również swoją historię. Jest to dar, który babka księcia, panna de Barsac czy też de Haut-Sauternes, otrzymała od swego królewskiego kochanka przez wdzięczność, iż nie zważając na swój stan panieński, obdarzyła go dorodnym synem. Sprzęt ten towarzyszy wszędzie jego świątobliwości jako droga pamiątka rodzinna; a zresztą któż zdoła przewidzieć, co i kiedy w podróży przydać się może?

Duc de Perier-Jouet, który wchodzi w tej chwili do komnaty, liczy około czterdziestu dobrze zużytkowanych wiosen. Jest co się nazywa pięknym i świetnym mężczyzną; zwłaszcza w półcieniu, jaki tu panuje, a który przysłania jego cokolwiek zmęczoną cerę, przedstawia się doskonale. Ma coś niemile chłodnego w oczach, potrafi jednak być w potrzebie pierwszorzędnym *charmeurem*. Jest ubrany po świecku, całkiem czarno i bardzo wykwintnie. Książę orientuje się w ludziach i sytuacjach szybko i bystro, jednak bez żadnego zamiłowania do dociekań psychologicznych i wyłącznie pod kątem widzenia własnych interesów, wskutek czego sąd jego świątobliwości wypada zwykle dość brutalnie. I tutaj po kilku minutach rozmowy, nie dając się oślepić temu subtelnemu wdziękowi, którym owiana jest postać królowej Marysieńki, sklasyfikował ją na swój użytek jako gąskę zmanierowaną i mocno trącącą prowincją.

Tym bardziej rozwija jego świątobliwość swój aparat koncertowych środków wytrawnego zdobywcy kobiet. Przychodzi mu to tym łatwiej, iż ma za sprzymierzeńców całą tęsknotę królowej za krajem, jej radość, iż słyszy dźwięk mowy rodzinnej, przede wszystkim zaś urok swojego pochodzenia. Autentyczna krew Burbonów, płynąca w żyłach księcia, wywiera nieodparte i fascynujące działanie na panią Janową Sobieską z domu d'Arquien. Pod chłodnym i spokojnym spojrzeniem tego królewskiego bastarda słynna w Polsce z arogancji Marysieńka czuje się dziwnie malutką i nieśmiałą, a jej własny majestat wydaje się jej czymś bardzo operetkowym. Myśl, że kilka kropel tej krwi szlachetnej mogłoby się w jakikolwiek sposób dostać do jej organizmu, przejmuje królową emocją tak silną, iż mimo woli poczyna drżeć po cichutku na całym ciele. Wzruszenie to ogarnia ją z taką gwałtownością, że gdyby jego świątobliwość okazała w tej chwili mniej uszanowania, a więcej przedsiębiorczości, Marysieńka, zazwyczaj tak ostrożna, byłaby gotowa poddać się choćby natychmiast tej operacji, chociaż Jaś w każdej chwili może wejść do pokoju. Jeszcze nie zdążyła sobie królowa uświadomić uczuć, jakie ją poruszają, a już mała jej główka instynktownie pracuje nad stworzeniem dogodniejszej i bardziej zgodnej z jej stanowiskiem sposobności.

Nie jest to rzeczą łatwą, gdyż król Jan, poza tym tak dobroduszny i pełen ufności, na jednym punkcie jest nieubłagany. Ma on paniczny strach przed zetknięciem się Marysieńki z czymkolwiek, co przypomina jej umiłowaną Francję. Instynktem zakochanego odczuwa grożące mu z tej strony ciągłe i jedynie prawdziwe niebezpieczeństwo; myśl, że Marysieńka mogłaby go kiedyś porzucić, aby wrócić do ojczyzny, jest prawdziwą zmorą tego nigdy nie nasyconego kochanka swojej żony. Zresztą, poczciwy pogromca Turków nazbyt dobrze pamięta, ile w swym namiocie obozowym przecierpiał przez te chwile, w których ta obawa na długie miesiące stawała się rzeczywistością.

Królowa zna doskonale tę *idée fixe* swojego męża i wie, że widywanie nuncjusza poza najoficjalniejszymi stosunkami będzie wprost niemożliwością. Jako jedyny sposób poczyna niewyraźnie majaczyć w jej główce: „Wyprawić Jasia w podróż". Ale gdzie?

W tej chwili książę, jakby odgadując myśli królowej, począł mówić jak o rzeczy najnaturalniejszej, że zapewne król wybierze się w tym czasie do Wiednia, że zapowiada się tam właśnie wielki zjazd monarchów celem obrony chrześcijaństwa, że jest to idealna sposobność do zaopatrzenia się we wszelkie biżuterie, gdyż wielki wezyr prowadzi ze sobą 300 żon pokrytych od stóp do głów drogimi kamieniami. Nuncjusz wspomniał mimochodem, że w razie pomyslnego wyniku całej akcji wyniesienie Polski do godności cesarstwa byłoby dla ojca świętego drobnostką, że on sam najchętniej pojechałby do Wiednia, ale sprawy kościelne zatrzymują go na dłuższy czas w Krakowie itd.

Królowa słuchała księcia bijąc się z myślami. Słowa nuncjusza – szczególnie te, które nie wypowiedziane ustami czytała w jego oczach – otwierały przed nią niespodziane a czarowne horyzonty. Z drugiej strony, nakłanianie króla do wyprawy wiedeńskiej byłoby zdradą całej dotychczasowej polityki Marysieńki, której najwyższą nagrodą miało być w jej marzeniach otworzenie niemiłosiernie dotąd przed nią zamkniętych salonów wersalskich. Królowa zamyśliła się głęboko.

Zresztą jego świątobliwość nie kładł bynajmniej na punkt ten nacisku, przeciwnie, robił wrażenie człowieka, który, daleki w tej chwili od wszelkich politycznych kombinacji, oddaje się urokowi sam na sam z piękną kobietą. Rozmowa stawała się coraz bardziej poufną, coraz mniej głośną, aż wreszcie – Marysieńce serce na chwilę prawie przestało bić z dumy i wzruszenia – wnuk wielkiego Henryka znalazł się u jej kształtnych wprawdzie, lecz nie wyposażonych zbyt świetną genealogią kolan.

W tej chwili otworzyły się z trzaskiem drzwi i okazała postać obrońcy chrześcijaństwa ukazała się na progu. Na widok nieznanego mężczyzny we francuskim ubraniu u kolan królowej Jan III osłupiał. Pełna i krwista twarz jego poczerwieniała jeszcze bardziej, oddech stał się szybki i ciężki, a ręka, zupełnie jak u zwykłego sejmowego szlachcica, poczęła macać bezwiednie po boku, szukając karabeli.

Królowa zdrętwiała z przerażenia. Przykuta do miejsca, martwym wzrokiem patrzyła przed siebie, nie mogąc znaleźć żadnego słowa ani gestu stojącego na wysokości położenia. Natomiast nuncjusz papieski, nie wychodząc ani na chwilę ze zwykłego spokoju, pochylił się jeszcze niżej do kolan królowej i obejmując jej drobne nóżki nieco wyżej, niżby na kornego suplikanta przystało, wzruszonym głosem zawołał:

– Królowo, ratuj Wiedeń!...

Ta chwila wytchnienia wystarczyła Marysieńce, aby zapanować nad sytuacją. Majestatycznym ruchem wyciągnęła rękę w kierunku Jana III, wskazując, iż tam swe prośby skierować należy.

A jego świątobliwość w jednej chwili znalazła się u kolan królewskich, wołając z coraz większym wzruszeniem:

– Królu, ratuj Wiedeń!

Tymczasem król Jan uspokoił się nieco, a nawet zawstydził swego uniesienia, widząc wysokiego dostojnika kościelnego u swoich kolan. Słowa nuncjusza poruszyły go do głębi. Wyprawa wiedeńska była jego cichym i głęboko ukrywanym z obawy przed Marysieńką marzeniem. Kolosalne wizje przyszłych zwycięstw i tryumfów przesunęły się nagle jak żywe przed okiem bohatera, podczas gdy drugie spoglądało nieśmiało i pytająco na żonę.

A twarz królowej Marysieńki okryła się jakąś nieziemską powagą i dziwny spokój i majestat brzmiał w jej głosie, kiedy podniósłszy oczy do góry rzekła:

– Jasiu, ratuj chrześcijaństwo...

. . . . . . . . . . . . . . . . . . . . . . . .

I Jaś uratował chrześcijaństwo...


ZŁOTY CIELEC
(z szopki)

Nuta: *Cielec złoty... (Faust)*

Staniszewski tu rządzi rad!
   Wszyscy kadzą
   Przed tą władzą }*(bis)*
Bo na kredycie stoi świat!

Kto się przed nim w proch nie korzy,
Kogo śmielszy zdradzi gest,

Tego głodem wnet zamorzy,
Wraz pognębi go pro-test.
Bo tam twardszy niźli stal  }(bis)
Popielecki prowadzi bal!
Staniszewski i bogów ćmi!
    Wszak w swej chwale  }(bis)
    On zuchwale
Z potęgi Lea nawet drwi!
Choć porządek stary pęka,
Choć przywilej kurii trzasł,
On o mandat się nie lęka
Klucz pancernych dzierżąc kas!
Wśród wyborczych mętnych fal  }(bis)
Sam Kowalski prowadzi bal!

## PIEŚŃ O DWÓCH IGNACACH
Tempo polki

Dwóch Ignaców historycznych
Nasz Krakowek pieści,
Obrońców polskiego ludu –
Od siedmiu boleści!

Jeden L u d chce oswobodzić –
Przez cesarskie cięcie,

Drugi NARÓD wciąż ma w ustach
(Naród jego w pięcie).

Dziś się waży, kto powiedzie
Polskę ku przyszłości,
Na Wesołej w ferbla grają
Dziś o nasze kości!

Jeden Ignac gębą miele,
Aż pękają mury,
Przyrządza z gruszek na wierzbie
Smaczne konfitury.

On pod Wiedniem nas zasłaniał
Przed burżujskim brzuszkiem –
On Sobieskim naszym dzisiaj
(A Haecker Koszczuszkiem!).

O drugim Ignacu gadać –
Pustą czasu stratą,
Czyż to nie dość, że jest „polskim
Szczerym demokratą"?

Czym zostanie, dziś rozstrzyga
Się losów trafunkiem,
Czy kołtunów deputatem –
Czy zwykłym kołtunkiem...

Każda partia swego wspiera –
Wszak w tym święta racja,
Zatem „prawnie dozwolona"
Kwitnie agitacja!

Pan dyrektor instytucji
Woźnych swych zgromadza

I tłomaczy, że od Boga
Idzie wszelka władza.

Kanalarzy sam prezydent
Uprzejmie zachęca,
By raczyli głos swój cenny
Dać na Petelenza.

Nieboszczyków dziś do urny
Ciągnie szereg długi,
Jak Piotrowin dać świadectwo
Prawdy i zasługi.

Nieboszczyków „narodowych"
I w sokolim stroju
Ze czcią wita pan komisarz,
Prosi do pokoju.

Lecz nieboszczyk socjalista
Budzi okrzyk zgrozy,
Kropią go święconą wodą
I wiodą do kozy!

Łatwo zgadnąć, jakie były
Hecy tej wyniki,
Przepadł Ignac, co miał żywych,
Górą nieboszczyki.

Tak dziś poległ samozwańczy
Naczelnik Polaków,
Znaj, Ignacu, że GŁOS zmarłych
Szanuje nasz Kraków!

# W ZAKLĘTY DUCHA ŚWIAT...

„Powiedz, Kasieńko, gdzie pędzisz tak bez tchu?"
   „Spieszę w czarowne kraje,
   Śnione od wielu lat,
   W mistyczne święte gaje,
   W zaklęty DUCHA świat!"   .

„Powiedz, Kasieńko, skąd wzięłaś taki strój?
   Wszak niezdatny on przecie
   Do nadpowietrznych jazd,
   Nikt w zimowym żakiecie
   Nie wzbił się w MROKI GWIAZD...

Jeszcze za ciężko, Kasiu, dla skrzydeł twych!
   Ja znam prawa mistyki,
   Więc mnie posłuchać chciej,
   Zdejmij, Kasiu, buciki,
   Zaraz ci będzie lżej...

Nie chcą cię, Kasiu, wpuścić do świętych wrót!
   Tam chcą samej Kasieńki,
   Nie chcą tych ziemskich szmat,
   Zdejmij, Kasiu, sukienki –
   Tyś siostra, a jam brat...

Ciesz się, Kasieńku, już tylko kilka chwil...
   Wstrzymaj się jeszcze troszkę
   U tych promiennych bram:
   Zdejm choć jedną pończoszkę – –
   Drugą ja zdejmę sam..."

Z ramion koszulka spłynęła Kasi już...
   I gdy w szlachetnej dumie
   Weszła w marzony próg,

Ujrzała się w kostiumie,
W jakim ją stworzył Bóg...

Wziął ją w ramiona bardzo płomienny duch –
I nauczył Kasieńkę
W kwiecie jej młodych lat,
Jak przez Tworzenia mękę
Wchodzi się w czarów świat...


## «TRUDNO INACZEJ...»
IMPRESJA

Urodziłam się z ojca i matki
    W cichej sypialni,
Fakt, jak państwo widzicie, nierzadki –
    Trudno banalniej...

Jak odbywa się to przejście łzawe,
    Każdy odgadnie,
Pan Żeromski opisał tę sprawę
    Bardzo dokładnie.

Zrazu jęłam oddychać forsownie
    Mą piersią własną,
Choć zdziwiona byłam niewymownie,
    Skąd jest tak jasno?...

Jakaś pani woła na drugą:
    „Dawajże sznurka!"
Oglądała mnie potem dość długo
    I rzekła: „córka".

Miałam cienkie rączyny i nóżki,
    Ciałko różowe,

Zawinięto mnie mocno w pieluszki
   Po samą głowę.

Co chwileczkę potrzeba je było
   Zmieniać na inne,
Ale znowu to samo robiło
   Dziecię niewinne.

Wyciągałam rączęta do góry,
   Gdy chciałam piersi –
Dawniej ludzie mniej mieli kultury,
   Lecz byli szczersi.

Rosłam sobie powoli i skromnie
   Po centymetrze,
Psułam wszystko, co było koło mnie –
   Nawet powietrze...

Darłam się jak licho opętane –
   Oto i wszystko;
Kto by pomyślał, że kiedyś zostanę
   Taką artystką...

# TRYUMFY NADPOWIETRZNE PANA RAJCHMANA

Wielka feeria awiatyczno-wokalna na jeden głos, z towarzyszeniem kilku aeroplanów.

Nuta:*Cake-walk*

1. Melodia

2. Melodia

Trio

(1. melodia)

Zasnęła Filharmonia,
Skończyła się agonia,
　Już pana
　Rajchmana
Gwiazda pogrzebana!
Gwiazda tak pełna blasku
Zaryła brzuchem w piasku,
　Warszawo,
　Płacz krwawo
Nad minioną sławą!

(2. melodia)

　Przepadły śliczne
　Rauty mistyczne,
　Już diabli wzięli
　Panią Toselli,
　Z cygana Riga
　Została figa,
　Wszystkie te cuda
　Prysły jak złuda!...

(1. melodia)

Warszawa jak wymarła
Wzdycha z całego gardła:
　„Ach panie
　Rajchmanie,
Cóż się ze mną stanie!
Od czasu, jak cię nie ma,
Nikt tutaj nie wytrzyma,
　Kto może,
　Nieboże,
Ucieka za morze..."

I prasa cała
Chodzi ospała,
Katastrof szereg:
Skonał „Kurierek",
W redakcji „Świata"
Nikt nie zamiata,
Biedny reporter
Nie wie, co porter...

(Trio)

Naraz z dalekiej strony
    Przybiega wieść:
W niebieskie ktoś regiony
    Zdołał się wznieść
I nad wszelakim krajem
Kursuje jak tramwajem,
A wszędzie lud zdumiony
    Woła: „Cześć mu, cześć!"

Z dołu go wszystko śledzi,
    Gdzie pędzi, gdzie?
On ostro w siodle siedzi,
    Nie zadrży, nie!
Naraz zawrócił w prawo
I nad samą Warszawą
Spokojnym ruchem skrzydeł
    Z wolna spuszcza się...

(2. melodia)

Wszczyna się wrzawa,
Pędzi Warszawa –
Lud cały wyległ

Jak główki szpilek,
Młodzieńce, dziewki,
Całe Nalewki,
„To dżywne jazdy –
*Gewidział hast dy?"*

(1. melodia)

I w oczach rzeszy tłumnej
Wysiada jeździec dumny,
  Co w górze
  Na chmurze
Wędrował w lazurze...
Lecz postać ta nadobna
Łudząco wszak podobna
  Do pana
  Rajchmana –
Wprost jak wykapana!!...??

(2. melodia)

„Ludu Warszawy,
Syt nowej sławy,
Niosę me blizny
W służbę ojczyzny:
Powietrzne statki
Wiozę na ratki
Co gdy raz wzlata,
Leczi trzi lata...

A gdyby Wrighta
Spotkała plajta,
Komu ochota,
Mam i Bleriota,
Rzecz wszystkim znana,
Żem druh Farmana,

Wszystkie te ludzie
Są w mojej budzie –

Za kilka rubli,
Jak stado wróbli,
Heca nad hecą!
Zaraz tu wzlecą!
A potem który
(Przedpłata z góry),
Gdy uda mu się
Wzleci w «Momusie»!

Cała muzyka
Niewarta prztyka –
To wszystko farsa,
Ja wracam z Marsa,
Człowiek się przecie
Otarł po świecie,
Wszystkie Wagnery
To humbug szczery...

(1. melodia)

Więc dalej do przedpłaty,
Aeroplan na raty,
   Powyżej
   Tuzina
Rabat się zaczyna –
Kto tylko się poczuwa
Do czegoś, ten dziś fruwa;
   Fruwanie
   Rzecz główna,
Reszta wszystko – głupstwa..."

I miasto całe,
Jak oszalałe
Nową wielkością,
Niesie z radością
Wszystko, do gatek,
Za jeden statek;
Zastawia skórę,
By fruwać w górę...

Najpierwsza wzlata
Redakcja „Świata",
Pan Krzywoszewski
Ma w oczach łezki,
Pruje powietrze,
Choć coraz bledsze
Są jego lica – –
Biedna ulica...

W powietrzu szczerem
Wolff z Gebethnerem –
Istna sielanka!
Już od poranka
Wśród atmosfery
Oba Kempnery,
Wszystko tak fruwa:
A Rajchman czuwa...

I jak z jednego gardła
Hosanna się wydarła,
   Lud cały,
   Zdębiały,
Wznosi okrzyk chwały:

„Niech nas ten tryumfator,
Pan Rajchman, awiator
  Skrzydlaty
  W zaświaty
Prowadzi – n a  r a t y!"


## POBUDKA GRUNWALDZKA
ułożona na obchód przez Stow. STRAŻ POLSKA oraz
ZWIĄZEK TURYSTYCZNY*

Nuta: *Nasz pan cysarz we Wiedniu stoi*

Król Jagiełło pod Grunwald wali,
Z nim rycerze duzi i mali,
  Wszystkie gniazda sokole
  Z panem Turskim na czole,
Kto ma tylko „strój ćwiczebny", rusza dziś w
    pole.
„Hej, Witołdzie, ślusuj sam, bracie!
Czas już urwać łeb hakacie,
  Tyś jest żołnierz morowy,
  Poucinaj im głowy,
Dopieroż zakwitnie w Polsce PRZEMYSŁ KRAJOWY.
Gdzie rycerska zgraja okrutna,
Z KORCZYŃSKIEGO namiot jest PŁÓTNA.

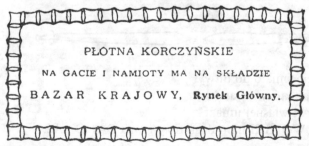

PŁÓTNA KORCZYŃSKIE

NA GACIE I NAMIOTY MA NA SKŁADZIE

BAZAR KRAJOWY, Rynek Główny.

* Wszystkie anonsujące firmy ofiarują 20 % opustu okazicielowi niniejszej książeczki.

Tam Jagiełło zasiada,
Tam wojenna jest rada
I do swojej wiernej drużby tak król powiada:
„Niech przepadnie krzyżacka buta!
I ołówki pruskie Hardtmutha!
  Gdzie bojowy wre zamęt,
  Gdzie gwar srogi i lament,
Me rozkazy KARMAŃSKIEGO niesie ATRAMENT!

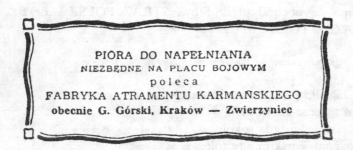

Naostrzyć mi miecze jak brzytwy

I ruszajcie śmiało do bitwy;
  Chociaż który z was twarze
  We krwi własnej umaże,
DOBROWOLSKI nam dostarczy *gratis* BANDAŻE.

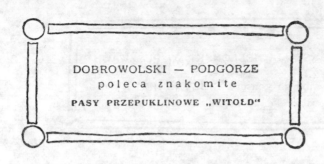

DOBROWOLSKI — PODGÓRZE
poleca znakomite
PASY PRZEPUKLINOWE „WITOŁD"

A gdy skończym z hordą przebrzydłą,
Podajcie mi z firmą «TLEN» MYDŁO!
  Ręce wszak obmyć muszę
  Po tej krzyżackiej jusze,
PUDREM HAYA twarz spoconą niechaj osuszę!

PUDER HAYA
DLA DZIECI, SOKOŁÓW I RYCERSTWA
poleca
Szymon Hay, aptekarz, c. k.
dostawca dworu
TAMŻE NIEZRÓWNANE
SPECJALNOŚCI GUMOWE
Ze znakiem ochronnym
„KONIEC DYNASTII"

Gdy już trupem pole zaścielem,
Zasiędziemy z wielkim weselem,
  Będziemy jedli bez przerwy
  ŚLIŻYŃSKIEGO KONSERWY,
A tymczasem sępom, krukom idźcie na żer wy!

Zaś po wojnie – Bogu ślub czynię
Ufundować zacną świątynię,
  Wdzięczność naszą okażem
  Ponad wielkim ołtarzem
W cenie kosztów ŻELEŃSKIEGO pięknym WITRA-
ŻEM".

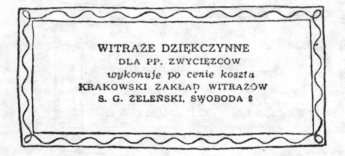

Skończyły się wreszcie gonitwy
I ośmiogodzinny dzień bitwy:
  Szczęśliwie się powiodło,
  Pod MAKOWSKIEGO SIODŁO
Nasza wiara przytroczyła tę zgraję podłą.

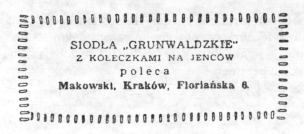

SIODŁA „GRUNWALDZKIE"
Z KÓŁECZKAMI NA JENCÓW
p o l e c a
Makowski, Kraków, Floriańska 6.

Wraca do dom wojska huf mężny,
Każdy ma swój BILET OKRĘŻNY,
  Wiwat armia siarczysta,
  Wiwat ziemia ojczysta
I niech żyje król Jagiełło, polski turysta!


## KILKA SŁÓW O PIOSENCE

> *Sokrates, warum treibst du keine Musik?...*
> (Nietzsche, *Geburt der Tragoedie*)

Było to w Paryżu, któregoś wieczora wałęsałem się wzdłuż
bulwarów, gdy nagle zbudził mnie z zamyślenia głos przeraźliwie donośny a zachrypły, który śpiewał, a raczej, mówiąc
ściśle, darł się, co następuje:

*Moi j'aime*
*la femme*
*à la folie...*

Zdumiony tym niespodzianym publicznym wyznaniem,
zwróciłem głowę i ujrzałem następujący obraz: mały sklepik o
ścianach pokrytych od podłogi do sufitu edycjami piosenek,
na środku zaś olbrzymi gramofon, z którego mosiężnej gardzieli wychodziły chrapliwe a namiętne dźwięki słyszane
przed chwilą. Naokoło tłum ludzi, mężczyzn i kobiet, prze-

297

ważnie ubogo lub skromnie odzianych, powtarzających półgłosem za tym idealnie cierpliwym i niezmęczonym nauczy-
cielem kuplet piosenki. Za chwilę fala ludzka wydobyła się na
ulicę nucąc już płynnie:

*Moi j'aime*
*la femme*
*à la folie...*

a wraz nowy tłum przechodniów opanował sklepik. W ten
sposób „piosenka dnia" znajduje się w przeciągu kilku godzin
na ustach wszystkich, aby nazajutrz ustąpić miejsca innej i
zginąć w niepamięci.

I nigdy tak wyraźnie jak wówczas nie odczułem, czym jest
we Francji piosenka: jedną z elementarnych potrzeb egzysten-
cji, artykułem spożywczym tak ważnym i niezbędnym jak
wino i mąka. To tło trzeba czuć, aby zrozumieć ów *genre*
literacki, który wykwitł z wrodzonej potrzeby odczuwania nie
tylko gwałtownych wzruszeń, nie tylko wielkich smutków i
radości, ale wprost najpowszedniejszych zjawisk życia codziennego w rytm piosenki.

Stworzenie temu kultowi piosenki trwałej świątyni, a zarazem rynku zbytu, było dziełem głośnego Salisa, twórcy
„Chat–Noiru". Salis, przy całej „bohemie" obdarzony wielką
praktycznością i niepospolitym talentem organizacyjnym,
przeczuł kopalnię złota w tych fajerwerkach dowcipu i szalo-
nych pomysłów, spalanych codziennie z wielkopańską roz-
rzutnością wśród koleżeńskich zebrań malarskich pracowni i
knajp literackich. Rezultat przeszedł najświetniejsze oczekiwania – dla niego samego i dla nowego *genre*'u literatury. Z
otwarciem tego krateru z żywiołową siłą buchnęły talenty
zdumiewająco silne i różnorodne. Sentymentalna, urocza piosenka Delmeta, szerokie, dramatyczne akcenty „Tyrteusza
Montmartre'u", Marcela Legay – obok krwawych strof Bruan-
ta, w których migota błysk noża apasza, obok niezmordowa-
nego wabienia samiczki u Gabriela Montoyi, werwy satyrycz-
nej Ferny'ego i tylu, tylu innych. Każdy z tych twórców-śpie-

waków stwarza swój własny, odrębny rodzaj i każdy jest w nim do dziś dnia nieprześcignionym mistrzem. Z czasem wybuch ten uspokaja się nieco i piosenka płynie spokojniejszym, uregulowanym łożyskiem. Szalone improwizacje ustępują miejsca doskonałej literackiej fakturze; znika coraz bardziej rodzaj *macabre* (Jehan Rictus), dominuje natomiast *chanson d'actualité*, będąca najczęściej *chanson rosse* (Fursy, Bonnaud, Numa Blès, Hyspa i inni). Jest to śpiewana migawkowa kronika bieżącego życia od najdrobniejszych wydarzeń miejscowych aż do największych faktów politycznych, traktowanych co najmniej równie lekko. Ot, bierze się trochę życia na słomkę i wydmuchuje bańki okrągłe, błyszczące i niknące w chwilę po urodzeniu.

Rozumie się samo przez się, że stałym, niejako oficjalnym przedmiotem nieskończonych konceptów i zabawy jest przede wszystkim pomazaniec narodu, prezydent Republiki. Można by mieć wrażenie, że każdorazowy prezydent tak długo zasiada na swoim *quasi*-królewskim krześle, dopóki piosenka nie wyciśnie z jego osoby i sytuacji całej możebnej sumy humoru i komizmu: po czym, siłą rzeczy, naród musi przystąpić do wyboru nowej głowy. Wraz ze swoim naczelnikiem dzieli ten los każdorazowy rząd, bez względu na jego wartość i istotę. I zaprawdę, niebezpiecznym jest objawem dla osobistości politycznej, jeżeli nazwisko jej nie defiluje stale w szarżach paryskich kabaretów. Nie z byle kogo Paryż śmiać się raczy i nie lada znaczenia i popularności trzeba, aby na to wyróżnienie zasłużyć. I nie jest to bynajmniej satyra polityczna wynikła z bólu, z siły przekonania; jest to raczej owa *blague* w najlepszym paryskim znaczeniu; obracanie w świetle dowcipu wszystkimi powierzchniami danego przedmiotu, aby zamigotał całym snopem iskierek wesołości.

A zresztą zdaje się, że te zakłady, w których co wieczora ośmiesza się dobrodusznie a dotkliwie oficjalnych reprezentantów narodu, zdobyły sobie już stanowisko wprost jako instytucje użyteczności publicznej. Jako dowód może świadczyć, że jeżeli jakiś utalentowany piosenkarz *„engueule le* *gouvernement"* przez szereg lat i czyni to ze znacznym powodzeniem, to zostaje nagrodzonym przez ten sam *gouvernement* „palmami" akademickimi (mało zresztą szanowanymi na estradzie kabaretowej); jeśli zaś ataki jego odznaczają się szczególniejszą werwą i dowcipem, to może marzyć i o czerwonej wstążeczce Legii Honorowej. Być może, że jest w tym traktowaniu rzeczy i głębszy podkład: że piosenka jest tą klapą bezpieczeństwa, którą niewinnie wyładowują się stale wszelkie niezadowolenia nie grożąc niebezpiecznym nagromadzeniem. Kto się śmieje, ten nie jest groźny; podejrzani są tylko ci ludzie, którzy się nigdy nie śmieją.

Będąc przed laty po raz pierwszy w Paryżu zakochałem się od pierwszej chwili w paryskiej piosence, szukałem jej wszędzie, refreny jej dźwięczały mi bez ustanku w uszach. Kiedy po latach kilku znowu danym mi było usłyszeć starą a tak nieskończenie wesołą, klasyczną nutę „Chat-Noiru":

*Un jeune homm' venait de se pendre*
*Dans la forêt de Saint-Germain*

czułem, że jak Sienkiewiczowskiemu latarnikowi (jeżeli wolno użyć tego porównania) łzy napływają mi do oczu. Miłość ta byłaby najpewniej zeszła ze mną do grobu bez konsekwencji, gdyby nie powstanie krakowskiego „Zielonego Balonika", które wydobyło z każdego z nas jakieś ziarenko wesołości, drzemiące przeważnie dość głęboko wobec niewesoło usposabiających warunków naszego życia...

Pisane w r. 1907

W ścisłym przyjacielskim kółku, bez myśli o prasie drukarskiej, rodziły się te piosenki przeznaczone na zabawę jednego wieczoru. Dziś, kiedy po kilku latach przeglądam je przed powtórnym oddaniem do druku, spostrzegam, iż wiele z nich już trąci myszką, wiele kreślonych na kolanie razi dotkliwie swym niedbalstwem moje klasyczne zamiłowanie; niechaj jednak znajdą się tu razem jako historyczny dokument owego

przelotnego okresu, w którym niewinna wesołość i pustota
stukały nieśmiało i boczną furteczką do wrót „pałaców ster-
czących dumnie" naszej bardzo dostojnej pani Literatury.

Kraków, w r. 1912

[GDY KTO KUPI SOBIE PLACYK...]

Gdy kto kupi sobie placyk,
Aby zbudować pałacyk,
Czym najlepszy gust okaże?
Wprawiając szybko witraże.

Gdy kto pokumał się z biesem
I duszę zgubił z kretesem,
Czym przewiny swoje zmaże?
Fundując wielkie witraże.

Gdy odwieczny wróg bez sromu
Gnębi nas we własnym domu,
Czym żywotność swą okażem?
Tylko Wawelskim witrażem.

Urzędnik – nie wie, co zrobić,
Chciałby domek przyozdobić,
Ale ma zbyt szczupłą gażę –
Daję na spłaty witraże.

A jeżeli mam grobowiec,
Jak tu go przystroić, powiedz?
Jak uwiecznić zmarłych twarze?
Daj te gęby na witraże.

Gdy się ma fabryczkę własną,
W Europie trochę ciasno,

301

W Ameryce się pokażę –
*Do you kauf the uaiteraże?*

Patrzą Indian dzikie szczepy
Ściskając w rękach oszczepy,
Cóż im niosą blade twarze?
Wybieraj: śmierć lub witraże!

Pożar zniszczył kościół cały,
Tylko gruzy się zostały.
Cóż przetrwało po pożarze?
Beton, mozaika, witraże.

Ale dziś jesteśmy przecie
Między swymi, w kabarecie,
Cóż pan tutaj nam pokaże?
...Trzeba zmienić te witraże.

# PIEŚŃ O STU KORONACH

Któż za młodości płochych lat
Nie lubił grywać w bakarata? –
Gdy ostatniego wezmą blata,
Ponuro się przedstawia świat.
Właśnie pociągnąć passę masz,
A tu pytają: gdzie pieniądze?
Tak smutnie po ulicach błądzę,
Gdy wtem znajomą widzę twarz!

Przyjacielu, powiadam mu,
Potrzebuję gwałtem koron stu,
Jak tylko trochę odegram się,
Z wdzięcznością oddam je.

Cynicznie tylko rozśmiał się,
Popatrzył na mnie jak na bzika,
W bocznej ulicy szybko znika,
I gdzież ja teraz pójdę, gdzie?
Za chwilę szabes – pierwszy zmrok,
Drobnych w kieszeni ani troszkę –
Mniejsza z tym, wołam na dorożkę,
Na Kaźmierz każę pędzić w skok.

Panie Gajer, mówię bez tchu,
Potrzebuję gwałtem koron stu,
Jak tylko trochę odegram się,
Z procentem oddam je.

Popatrzył na mnie bestia Żyd
Jakie sto? Niechże pan ochłodnie:
Jak pan ma sprzedać stare spodnie,
Bierz pan trzy reńskie i sy git.
Przeklęte bydlę, jeszcze drwi!
Rozpaczą na wpół obłąkany
Pędzę do mojej ukochanej,
Z bijącym sercem wchodzę w drzwi:

Ukochana, przybiegłem tu,
Potrzebuję gwałtem koron stu,
Jak tylko trochę odegram się,
Z wdzięcznością oddam je.

Najdroższy, w tobie szczęście me
– Powiada słodka ta istota –
Chciałabym mieć kopalnię złota,
Każde życzenie spełnić twe,
Lecz koron sto... w krótki czas...
Próżno się biedna myśl wytęża...
Ach, wiem już, wiem, poproszę męża,
Właśnie pieniądze ma jak raz!

Drogi mężu, powiada mu,
Potrzebuję zaraz koron stu,
Przyszedł rachunek za suknie dwie,
Więc go zapłacić chcę.

Takie głosy słyszę przez drzwi,
Naraz zmieszany mąż wypada –
Obie ręce szeroko rozkłada
I na szyję rzuca się mi.
Powiada tak, ściskając mnie:
Przyjacielu, wiesz, jak cię lubię –
Zgrałem się wczoraj do nitki w klubie,
A żonie boję przyznać się.

Wybaw mnie z sytuacji tej
I koron sto pożyczyć chciej,
Jak tylko trochę odegram się,
Z wdzięcznością oddam je.

Patrzę na niego błędny wpół...
To jakiś istny dom wariatów –
I potykając się wśród gratów,
Szybko po schodach zbiegam w dół.
Och, rozpacz mnie ogarnia już –
Noc już zapada, czas ucieka –
Nie zapłacony fiakier czeka,
O szóstkę wypadł z pyskiem stróż.

Przyjacielu, powiadam mu,
Idę właśnie szukać koron stu,
Jak tylko znajdę pieniądze te,
Dam ci szóstki aż dwie.

Fiakrowi robiąc pański gest,
W krąg objechałem całe miasto;

Dawałem procent dwieście za sto,
Wszędzie mi mówią: zastaw jest?

Moi państwo, przyszedłem tu,
Potrzebuję na fiakra koron DWU,
Jak tylko odegram się,
Z wdzięcznością oddam je.


## KRAKOWSKI JUBILEUSZ
[fragment]

Chociaż zrodzić tutaj mi się
Nie dały wyroki boskie,
Słusznie jestem w ludospisie
Za dziecko liczon krakowskie:

Tum mą młodość spędził całą
Mieszkam z górą lat trzydzieście,
I powiedzieć mogę śmiało,
Znam się trochę na tym mieście.

O, bo Kraków to nie płoche
Dziewczę, skore do swywoli:
Kraków, aby poznać trochę,
Trzeba zjeść z nim beczkę soli.

Kraków to nie młodzik lada,
Z tych, co pozorami gardzą:
W senatorach on zasiada
I dekorum lubi bardzo.

Toteż spoci się porządnie,
Nim kto przejrzy wskroś nasz Kraków,

Nim w labirynt tajny wglądnie
Naszych tu masońskich znaków;

Gość, co wpadnie doń przelotny,
Za wrażeniem goniąc żywszym,
Zmyka od nas wnet markotny
I z pojęciem najfałszywszym;

Bo choć, brodząc w ulic smutku,
Weselszej nie spotkał twarzy,
Nigdzie tyle, co w tym gródku,
Nie masz tęgich, cichych kpiarzy.

Pożyj z nami dłużej nieco,
A zobaczysz, gościu miły,
Jak tu chwilki słodko lecą,
Jak uśmiejesz się co siły;

Jak w tym świecie matron, powag
Zyskasz wprawę niepoślednią,
Aby zawsze, tak czy owak,
Zabawić się jakoś przednio.

Lecz nad wszystkie inne cuda
Jest tu frajda ulubiona,
Co, kiedy się dobrze uda,
Mało z śmiechu się nie skona.

Przy niej z konia wysokiego
Tak cię wydrwią, dobry człecze,
Że za lat pięćdziesiąt tego
I sam Hösick nie dociecze.

# [KASZTELAN LUDWIK SOLSKI]

Kasztelan Ludwik Solski
Pierwszy teatr ma polski,
Fredrowski, nie Marchołtski.

A Sowizdrzał nieboże
Stroi hotel, jak może,
I Fryczem samym orze.

Kasztelan ma aktory
Tudzież dziewki – jamory
Oraz inne rozwory.

Sowizdrzała aktorki
Skaczą jak młode wołki,
Sztuki chudopachołki.

Kasztelan do wyręki
Ma małżonki swej wdzięki:
Stylizowane jęki.

Sowizdrzał musi w gości
Spraszać drogie jejmości,
Nikt nie zagra z miłości.

Kasztelan ma Burkhardy,
Spitziary, krawców gwardy,
Z Siemiradzkiego hardy.

Sowizdrzał fara chuda
Nie ma tak mnogo luda,
Frycz wszystkie lepi cuda.

Szpitziar za swe potwory
Wynosi złota wory
Z Pana Solskiej komory.

A Fryczek za swe cudy
Jako był – będzie chudy,
Frycem go przezwą ludy.

Kasztelan dla swej sceny
Ma Strindbergi, Ibseny,
Żuławskie wielkiej ceny.

Sowizdrzał ma Buchnerty,
Perzyńskie i Neuwerty,
Caillavety i Flerty.

Tak to obaj rywale
Mieli nierówny los wcale,
Ten w gnoju – a ten w chwale.

Przecz tak różne wyniki,
Gdy oba zawodniki
Wyprawiali te same fi-gli-ki.

*(silne akordy w muzyce)*

r.1907

# [KIEDY PO PROSTU OKRĘCI O GŁOWĘ]

Kiedy po prostu okręci o głowę
Swoje warkocze długie, ciemnopłowe,
I spojrzy spod nich łagodnie jak trusia,
Rzekłbyś: ot, swojska, poczciwa Jagusia.

Lecz nie dowierzaj zbytnio tej prostocie!
Bo oto chwila nie minęła jeszcze,
Jak w tych źrenicach jakieś błyski kocie
Czają się, dziwne niecąc wkoło dreszcze.

W tej samej chwili ta prosta i szczera
Dziewczyna polska, z polskim niebem w oku,
Pręży się niby królewska pantera,
Węsząc krew świeżą, gotowa do skoku.

Więc, odurzony przez tej pani śliczność,
Wnet przed zjawiskiem stajesz niepojętem,
I chciałbyś wiedzieć, „z kimże okoliczność"
I co w niej prawdą jest, a co talentem?

Czy z nią w dożynki pomknąć obertasa?
Czy nagą rzucić na kosztowne futra?
E r d g e i s t? czy tylko „kółecka u pasa"?
*Śluby panieńskie;* czy też *Kamasutra*?...

Łatwiej podziwiać jest ten urok rzadki,
Jakim w jej ustach skrzy się każda głoska,
Niźli klucz znaleźć drażniącej zagadki,
Mającej godło: JADWIGA MROZOWSKA..

# Przypisy

Komentarz Boya (nie ujęte w klamry) uzupełniono wykorzystując materiały zawarte w objaśnieniach do *Słówek* w edycjach poprzednich Wydawnictwa Literackiego. Przypisy uzupełniające umieszczono w klamrach oraz w odnośnikach pod tekstem.

*str. 6, w. 13–14*

[„P r z y   C e s a r z u   m i l e   w ł a d a   C e s a r z o w a   p e ł n a
ł a s k..." – z ówczesnego austriackiego hymnu państwowego.]

*str. 7, w. 10*

[W y d z i a ł   K r a j o w y – najwyższa władza samorządowa w Galicji.]
[„F l o r i a n k a" – ziemiańskie towarzystwo ubezpieczeń od ognia.]

*w. 11*

[„Z a c h ę t a" – Boy prawdopodobnie pomylił tu dwie bliźniacze instytucje: krakowskie Towarzystwo Przyjaciół Sztuk Pięknych (zał. w r. 1854) i
warszawskie Towarzystwo Zachęty Sztuk Pięknych (zał. w r. 1858), zwane w
skrócie „Zachęta".]

*w. 24–25*

[K s i ę ż n a   C z a r t o r y s k a – Marcelina z Radziwiłłów Czartoryska
(1817–1894), świetna wykonawczyni utworów Chopina. W jej pałacu w Krakowie (dzisiejszy „Grand Hotel") odbywał się od 1867 do 1886 co środę
„salon muzyczny" z udziałem wybitnych solistów.]

*w. 26*

[Kazimierz   M o r a w s k i   (1852–1925) – filolog klasyczny, profesor UJ,
autor *Historii literatury rzymskiej.*]

*w. 27*

[Stefan   P a w l i c k i   (1839–1916) – filozof i historyk filozofii, profesor
UJ, w 1869 wyjechał do Rzymu, gdzie wstąpił do zakonu zmartwychwstań-
ców.]

*str. 8, w. 6–7*

[T r z e b a   b y   d a l e j   w   o w y m   s z k i c u   n a k r e ś l i ć... – zadanie
to wykonał częściowo sam Boy w syntetycznym wstępie do *Antologii Młodej
Polski.*]

*w. 13*

[Tadeusz   P a w l i k o w s k i   (1862–1915) – dyrektor teatru krakowskiego
(1893–1899) i lwowskiego (1899–1906), wybitny reżyser.]

*w. 14*

[Jan   S t a n i s ł a w s k i   (1860–1906) – pejzażysta, od r. 1897 profesor w
krakowskiej Akademii Sztuk Pięknych.]

*w. 31*

[„*B l u t   i s t   g a n z   b e s o n d r e r   S a f t*" – „Krew – cieczą nader oso-
bliwą" (Goethe, *Faust*, cz. I, „Pracownia", tłum. Wł. Kościelskiego.]

*str. 9, w. 24*

[Jan August   K i s i e l e w s k i   (1876–1918) – dramaturg, autor sztuk *W
sieci* i *Karykatury.]*

312

*str. 15 (dedykacja)*

Hr. T a r n o w s k i – tajny radca, profesor literatury polskiej, wielokrotny rektor uniwersytetu, prezes Akademii Umiejętności.

*w. 19*

„S z l a k" – tak zwano w skróceniu rezydencję hr. Tarnowskiego, położoną przy ul. Szlak.

*w. 24*

J ó z i o – syntetyczne wyobrażenie wszystkich znienawidzonych Tarnowskiemu „nowych prądów".

*str. 16, w. 9*

L u c e k – poeta Rydel, popierany przez Tarnowskiego dla swoich cnót; H e n i o – Henryk Sienkiewicz, na którym dla Tarnowskiego kończyła się literatura polska.

*w. 20*

W i t r a ż e – Wyspiańskiego, przeznaczone przez artystę na Wawel i nie przyjęte przez miarodajne czynniki.

*w. 23*

[*J o s e p h ! a r r ê t e !* (fr.) – Józef! zatrzymaj się!] W owym czasie rozpoczął się w Krakowie żywy ruch na polu zdobnictwa i meblarstwa pod mianem „sztuki stosowanej".

*w. 32*

R o t o m a n k a – erotomanka.

*str. 17, w. 3*

P r a - s a m i c a – terminologia Przybyszewskiego.

*w. 16*

C a m b r o n n e – generał napoleoński, wsławiony zwłaszcza tym, iż wezwany przez wrogów, aby się poddał, odpowiedział jednym słowem: „*Merde!*" (g...o). Powiedzenie to przeszło do historii i spopularyzowało się tak, iż w potocznej mowie francuskiej rzecz ta zowie się przez opisanie *mot de Cambronne*.

*w. 18, w. 16*

T r z y  p s.a l m y Zygmunta Krasińskiego; t a ń c z ą c a  p a l m a z Nietzschego.

*w. 19*

S p e r m a t o z o a (plemniki) – częsty motyw artystyczny Przybyszewskiego, użyty jako ornament na jednym z rysunków E. Muncha.

*w. 20*

G a l l u s – dawny kronikarz polski; *p h.a l l u s* – członek męski jako przedmiot kultu starożytności.

313

*w. 25*

„Na początku była CHUĆ" – od tych słów zaczyna się polska *Totenmesse* Przybyszewskiego.

*str. 20, w. 15*

[E d r e d o n y (fr.) – puchowe poduszki.]

*str. 21*

Utwór kreowany po raz pierwszy w „Momusie" warszawskim przez Mary Mrozińską.

*w. 24*

A b a c j a – modna plaża, wówczas austriacka.

*str. 26, w. 6 (tytuł)*

Co do genezy *Ludmiły* patrz *Dokumenty* (*Słowa cienkie i grube* Boya).

*w. 25*

U r y n a ł – nocnik.

*str. 30, w. 8*

*M a d a m e   B o v a r y* – głośna powieść Gustawa Flauberta, opisująca dzieje kobiety dławiącej się w ciasnocie mieszczańskiego małżeństwa.

*str. 31, w. 9*

*L u s t m ö r d e r* – po niemiecku „morderca na tle zboczenia płciowego".

*w. 19*

P i ą t k i... S o b o t y – dnie przyjęć cotygodniowych, tzw. *jour-fixe.*

*w. 23*

F i k s – z francuskiego *jour-fixe,* stały dzień przyjęć.

*w. 25*

P r u s k i e   g w a ł t y – było to w epoce Wrześni.

*w. 26*

M o d e r n ą określano w bezmyślnej nomenklaturze wszystkie nowoczesne prądy w sztuce. S e c e s j a – kierunek malarstwa nazywany tak od
secesji, czyli wystąpienia części monachijskich malarzy z ogólnego związku i
stworzenia oddzielnej grupy. Z czasem termin „secesja" stał się określeniem
całego kręgu pojęć i epoki.

*str. 32, w. 4*

Ampir, francuskie *empire* – styl mebli z epoki pierwszego Cesarstwa.

*w. 21*

Tomasz à K e m p i s – autor *Naśladowania Chrystusa.*

*w. 24*

O g l ą d a s z  s i ę  w  l u s t r z e  c a ł ą... – Zwraca się uwagę przyszłych
badaczy, że wówczas gdy autor *Słówek* pisał ten wiersz, nie znał jeszcze Vil-
lona ani jego *Żalów pięknej płatnerki,* które później tłumaczył.

*w. 28*

G o y a – rysownik hiszpański, malarz fantastycznych potworności oraz
brzydoty ludzkiej. Goyę propagował w Polsce Przybyszewski.

*str. 33, w. 10*

K l i m a k t e r – okres ustania miesiączki u kobiet.


JAK WYGLĄDA NIEDZIELA OGLĄDANA PRZEZ OKULARY
JANA LEMAŃSKIEGO

*str. 34, w. 1–2 (tytuł)*

Jan L e m a ń s k i – satyryk i bajkopis, znęcający się w swych utworach
nad mieszczuchem i filistrem.

*str. 35, w. 14*

Ę s i – wyrażenie dzieci oznaczające naturalną potrzebę (tzw. grubszą).

*w. 19*

T r a v i a t a – opera Verdiego ze słynną arią: „Więc pijmy, więc pijmy za
zdrowie miłości..."

*w. 20*

[F i r m a P a t h é – francuska firma „Pathé Frères", produkująca aparaty
fotograficzne, gramofony itp.]


KŁOSKI

*str. 39, w. 23*

U r o d a  ż y c i a – tytuł powieści Żeromskiego.

*str. 43,* w. *16*
X i ą d z   F a u s t – tytuł powieści Micińskiego.


KRAKOWSKI JUBILEUSZ

*str. 45,* w. *21*
„Rękawka" – zabawa ludowa odbywająca się w trzeci dzień po święcie Wiel-
kiejnocy pod Krakowem; „l a j k o n i k" – lub Konik Zwierzyniecki – popularny obrządek ludowy, rzekoma pamiątka odparcia najazdu Tatarów spod
murów Krakowa.
*str. 46,* w. *12*
P i n c e   s a n s   r i r e – francuskie wyrażenie na oznaczenie cichego kpia-
rza.
*str. 47,* w. *9*
M a g n i f i c u s (wspaniały) – tytuł przysługujący każdemu rektorowi
uniwersytetu.
w. *28*
Fredro, D o ż y w o c i e .


PIEŚŃ O MOWIE NASZEJ

*str. 50,* w. *2*
X i ą d z   W u j e k – tłumacz Biblii w XVI wieku.
w. *6*
„R u j a   i   p o r u b s t w o" – głośne wyrażenie Henryka Sienkiewicza,
skierowane przeciw ówczesnej młodej literaturze polskiej. Wyrażenie to dało
powód do repliki Stanisława Brzozowskiego i rozpętało na dłuższy czas kampanię przeciw Sienkiewiczowi.
w. *26*
T e n t o w a ć – z łaciny: kusić.
*str. 51,* w. *21–22*
[„K a ś k a ,   j a g z e   b e n d z i e..." – aluzja do rozmów drużbów w sce-
nach 16 i 17 drugiego aktu *Wesela.*]
*str. 52,* w. *15*
„T r z e b a   z   ż y w y m i   n a p r z ó d   i ś ć ,   p o   ż y c i e   s i ę g a ć
n o w e..." (Asnyk)

*w. 22*

„A c z y   z n a s z   t y,   b r a c i e   m ł o d y...” początek *Pieśni o ziemi naszej* Wincentego Pola.

*str. 53, w. 20*

Kraków, jak cała ówczesna Galicja, był miastem przeważnie urzędniczym; wielu literatów i artystów piastowało – aby żyć – jakieś urzędy, jak znowuż między urzędnikami było wielu estetyzujących przyjaciół sztuki.

*str. 54, w. 10*

D e m i-m o n d e – po francusku półświatek.

*str. 56, w. 15*

„W y z w o l e n i e” – słowo w ówczesnej naszej literaturze bardzo modne.

*str. 57, w. 4*

E u n u c h  – samiec pozbawiony męskości.

*w. 12*

S t a r y   g b u r   z   N a g ł o w i c – Mikołaj Rej.

*str. 58, w. 8*

*La  M a t c h i t c h e* – modny wówczas wyuzdany taniec, tańczony przez dwie kobiety.

*w. 10*

A n i e l a – bohaterka poematu Słowackiego *Beniowski.*

*w. 28*

K u r d e s z – staropolska piosenka pijacka zaczynająca się od słów: „Każ podać wina, gospodarzu miły...” *

*str. 59, w. 4*

P i a s t – wedle podania pierwszy król polski.

*w. 12*

W i a n e k – symbol dziewictwa.

*w. 24*

G a r s o n i e r a – pokój kawalerski lub sekretne mieszkanko dla celów miłosnych.

---

* Jest to piosenka Franciszka Bohomolca.

317

*str. 60, w. 3*

S o w i z d r z a ł – pseudonim A. Nowaczyńskiego.

*w. 10*

Ż u a n e k – młody Don Juan.

*w. 12*

P ó ł d z i e w i c a *(demi-vierge)* – wyrażenie pochodzące z powieści Pré-
vosta pod tymże tytułem.

*w. 14*

Fe b l i k (z fr.) – słabostka.

*w. 24*

[M a r y n i e i M a r y l e – M a r y n i a P o ł a n i e c k a i M a r y l a
W e r e s z c z a k ó w n a .]

*w. 26*

[A n i e l e i A n i e l k i – przypuszczalnie Aniela z *Beniowskiego* Słowackiego lub Aniela ze *Ślubów panieńskich* Fredry (jest to konwencjonalne imię
kochanki okresu romantyzmu) i Anielka z *Bez dogmatu* Sienkiewicza.]

*(przypis)*

[Adolf N o w a c z y ń s k i (1876–1944) – autor antyfilisterskich satyr
(np. *Małpie zwierciadło*) i dramaturg.]

*str. 61, w. 15*

Alina Ś w i d e r s k a – powieściopisarka i dziennikarka, która w jednym
z artykułów wyraziła się „że stosunek Słowackiego do kobiet dużo pozosta-
wiał do życzenia".

*w. 17*

H r a b i a – Zygmunt Krasiński.

*w. 25*

W *Przedświcie.* Ten „list kobiety" zgorszył Wiktora Gomulickiego, który
nazwał go „koźlim wierzgnięciem w stronę naszych trzech wieszczów".

*str. 62, w. 33*

„K o b i e t o, p u c h u m a r n y ..." – *Dziady* Mickiewicza.


Z PODRÓŻY LUCJANA RYDLA NA WSCHÓD

*str. 63, w. 11 (tytuł)*

Wiersz ten jest co do formy trawestacją *Grobu Agamemnona* Słowackiego.

*w. 14*

Lucjan R y d e l głośny był ze swego niepohamowanego nerwowego ga-
dulstwa. („A pan gada, gada, gada" – *Wesele* Wyspiańskiego. Por. Boya *Plo-*

*tka o „Weselu" i Zatarg bohaterów „Wesela" w zbiorze Marzenie i pysk.)*
*w. 18*

„O, c i c h y  j e s t e m..." – wiersze kursywą przeniesione są ze Słowackiego.
*w. 26*

„P o d  s p ó d  n i c  n i e  w d z i e w a ł" – z *Wesela* Wyspiańskiego.
*str. 64, w. 5*

Wieś  T o n i e – miejsce zamieszkania Rydla.
*w. 14*

C i ę g l e w i c z – tłumacz Arystofanesa, konkurował z Rydlem o tę podróż na Wschód jako stypendium Akademii: otrzymał je Rydel, jako lepiej notowany i protegowany samego Tarnowskiego.


LAMENT PANA RADCY NAD «BASZTĄ KOŚCIUSZKI»

*w. 16*

Radca miejski Jan Kanty Federowicz posiadał koło swego domu przy ulicy Straszewskiego w Krakowie plac czy ogród z małym, dość starym budynkiem. Federowicz, który chciał na tym placu zbudować wielki hotel, zamierzył zburzyć ten budynek w kształcie baszty; sprzeciwiła się temu opinia konserwatorów, wydobywając z niepamięci mało znaną legendę, że w tym domku nocował Kościuszko w dobie powstania. Ale Federowicz, mający silne „plecy" w radzie miejskiej, sprowadził robotników i w ciągu nocy basztę zburzył stwarzając fakt dokonany.
*str. 65, w. 4*

Plac ten kupił Federowicz, dla zaokrąglenia swej posiadłości, od Goetza-Okocimskiego, właściciela browaru.
*w. 14*

Witold  N o s k o w s k i, współpracownik „Czasu", jeden z filarów „Zielonego Balonika", prowadził w „Czasie" zaciętą kampanię przeciw tzw. „burzymurkom".
*w. 15*

Jerzy  W a r c h a ł o w s k i – założyciel i prezes Stowarzyszenia Polskiej Sztuki Stosowanej, również należał do tych, którzy bronili pamiątek Krakowa.
*w. 26*

A ż  w  j e d n e j  c h w i l i... – Istotnie, długi czas stała ta baszta i nikt się o nią nie troszczył, tak że wieść o jej kościuszkowskich tradycjach spadła panu radcy na głowę zupełnie niespodzianie.

*str. 66, w. 15*
Federowicz miał wielki handel win.
*w. 27*
Feliks K o p e r a – dyrektor Muzeum Narodowego.


MODLITWA ESTETY

*str. 67, w. 9*
*p r i m a   v i s t a* – od pierwszego rzutu.
*str. 68, w. 20*
S z t u k a   s t o s o w a n a – kierunek artystyczny poświęcony estetyce codziennego życia.


NOWA WIARA

*str. 70, w. 1 (tytuł)*
*N o w a   w i a r a* – W owej epoce roiło się w Krakowie od apostołów abstynencji wszelkiego stopnia: potrójnej, poczwórnej etc. Wincenty Lutosławski urządzał wielkie zgromadzenia, gdzie sfanatyzowane kobiety i mężczyźni ślubowali czystość.
*w. 27*
„B y ł y   d o c e n t" – dr Augustyn Wróblewski, fanatyk wstrzemięźliwości płciowej, zwolniony ze swego stanowiska z powodu choroby umysłowej i podpisujący się „b. docent..."
*str. 72, w. 6*
W o d a   w   g ł o w i e... – Wielu z tych apostołów zdrowia przyszłej ludzkości zdradzało objawy mniej lub więcej chorobowe.


O TEM, CO W POLSZCZE DZIEJOPIS MIEĆ WINIEN

*w. 8 (tytuł)*
Wierszyk ten jest trawestacją znanej fraszki Jana Kochanowskiego.
*(informacja po tytule)*
[Szymon A s k e n a z y (1867–1935) – historyk, Żyd z pochodzenia, badacz okresu porozbiorowego (monografie: *Książę Józef* i *Łukasiński*).]
*w. 9*
[A k a d e m i a   U m i e j ę t n o ś c i – najwyższa polska instytucja naukowa, powstała w r. 1872.]


320

w. *24*

Stanisław Tomkowicz – historyk sztuki, otrzymał nagrodę za książkę pt. *Wawel.*

*str. 73, w. 12–13*

Ostatnie dwa wiersze prawie dosłownie z Kochanowskiego.

MARKIZA

*(dedykacja)*

Jadwiga Mrozowska – znakomita aktorka. Geneza tego wiersza jest taka: Jadwiga Mrozowska przybyła do Krakowa z Mediolanu, gdzie stale mieszkała, na występy; między innymi miała grać Izabelę w *Szkole mężów* Moliera. Słynna pracownia kostiumów „Carramba" we Włoszech, słysząc, że chodzi o sztukę Moliera, sporządziła jej wspaniały kostium w stylu Ludwika XIV; na miejscu okazało się, że strój Izabeli musi być prosty i skromny; pragnąc więc zużytkować piękny kostium, artystka poprosiła Boya, aby jej coś do tego kostiumu napisał. Z tej przyczyny „markiza" ta jest z epoki Louis XIV, a nie Louis XV; raczej styl pani de Montespan niż pani de Pompadour.

WOLNY PRZEKŁAD Z ASNYKA

*str. 76, w. 20 (motto)*

Znany wiersz Asnyka: „Najpiękniejszych moich piosnek nauczyła mnie dzieweczka..."

KAPRYS

*str. 78, w. 8 (informacja po tytule)*

W czasie swego pierwszego pobytu w Paryżu (1901) Boy miał sposobność nieraz słyszeć na estradzie kabaretów Pawła Delmet, uroczego pieśniarza paryskiego, i wiele jego melodyj przeszczepił na nasz grunt, szkicując do nich teksty.*

*(informacja po tytule)*

[*Les petits pavés* (fr.) – małe kłopoty.]

---

* Zob. w Uzupełnieniach *Kilka słów o piosence.*

321

PIOSENKA MEGALOMANA

*str. 79, w. 17 (objaśnienie sceniczne)*
[*E x i l  d ' a m o u r* (fr.) – wygnanie miłości.]
*str. 81, w. 3*

[*D a  c a p o  a d  l i b i t u m* (łac.) – od początku – do woli.]


MADRYGAŁ SPOD CIEMNEJ GWIAZDY

*str. 82, w. 1–2*
*M a d a m e  e s t  s e r v i e* (pani jest obsłużona) – sakramentalne słowa, którymi lokaj we Francji oznajmia, że podano do stołu.


OFIARUJĄC EGZEMPLARZ «ŻYWOTÓW PAŃ SWOWOLNYCH»

*w. 7–8*
*Ż y w o t y  p a ń  s w o w o l n y c h* Brantôme'a, które Boy wówczas przełożył.
*w. 10*
[B u x t a b a (z niem.) – litera.]


WIERSZYK, KTÓRY SAM AUTOR UWAŻA ZA NIE BARDZO MĄDRY

*w. 22*
K w i n t e s e n c j a – istota rzeczy.


LIST PRYWATNY DO KORNELA MAKUSZYŃSKIEGO
*str. 84, w. 1 (tytuł)*
Kornel  M a k u s z y ń s k i – poeta i humorysta, urodzony i zamieszkały wówczas we Lwowie.
*(podtytuł)*
„Ż o r ż" – jadłodajnia we Lwowie w hotelu pod tą samą firmą.
*w. 5*
„S ł o w o  P o l s k i e" – pismo, w którym Makuszyński był redaktorem felietonu.
*str. 85, w. 7*
C u d  k a n a e ń s k i – przemiana wody w wino.


322

*w. 14*
„P o  d e s c e . . ." – próba, jaką zadaje się podejrzanym o nietrzeźwość, każąc im przejść po desce.
*w. 14*
D i o n i z o s – grecki odpowiednik Bachusa, bóg pijaństwa.
*w. 17*
*R i g w e d y* – księga mądrości hinduskiej.
*str. 86, w. 10 i 13*
Z a b a w a  w  s z c z ę ś c i e  i  P o ł ó w  g w i a z d – tytuły utworów Makuszyńskiego.


GDY SIĘ CZŁOWIEK ROBI STARSZY...

*str. 87, w. 8–9*
*M i ę d z y  n a m i  n i c  n i e  b y ł o* – początek znanego wiersza Asnyka.


DEDYKACJA

*str. 88 (informacja po tytule)*
Przekład wszystkich dzieł Moliera dokonany przez Boya.
*(informacja po tytule  i w. 19*
Ferdynand  H o e s i c k  wydrukował w owym czasie w „Kurierze Warszawskim" kilka felietonów pt. *Życie nocne w Wiedniu.*
*w. 22*
E s i k – tak nazwany od wiersza Boya *Esik w Ostendzie.*
*w. 25*
[*S ü s s e  H i m m e l s l i e d e r* (niem.) – boskie pieśni pełne słodyczy.]
*w. 27*
„*D i e  E r d e  h a t  m i c h  w i e d e r !*" – „Ziemio, znów jestem twoim!" – wykrzyknik Fausta, pogodzonego z życiem dzięki dolatującej go pieśni żniwiarzy.


SPLEEN

*str. 89, w. 13*
Boy (dr Tadeusz Żeleński) był w owym czasie lekarzem chorób dzieci, asystentem kliniki.
*w. 15*
R o b i  b i a ł o – objaw niedyspozycji kiszkowej u osesków.

w. 19
R o b i  z i e l o n o – po lekarstwie zawierającym kalomel, najczęściej używanym u dzieci.
w. 21
W owym czasie objął dr Tadeusz Żeleński posadę lekarza kolejowego.
w. 30
[G i e m z a (z niem.) – kozica.]
w. 31
B r e m z a – hamulec, przy którym znajdowała się budka dla hamowniczego.

ZDARZENIE PRAWDZIWE

*str. 94, w. 2*
Porówn. *Czysta poezja (Marzenie i pysk.)*

W KARLSBADZIE

*w. 17 (tytuł)*
Był to jedyny pobyt Boya w Karlsbadzie, spowodowany zresztą fałszywą diagnozą lekarza.
*str. 95, w. 14*
*Herr Doktor! śchon ist sechse* (niem.) – Panie doktorze, już szósta.
*w. 16*
*Hol' Teuf'l dich, alte Hexe* (niem.) – Bierz cię diabli, stara czarownico.
*str. 97, w. 26*
M ü h l b r u n n – źródło karlsbadzkie.

POLAŁY SIĘ ŁZY ME CZYSTE, RZĘSISTE...

*str. 98, w. 6 (tytuł)*
„P o l a ł y  s i ę  ł z y  m e  c z y s t e,  r z ę s i s t e..." – wiersz Mickiewicza.
*w. 8*
P s i p s i – wyrażenie używane przez dzieci i piastunki na czynność oddawania moczu.

*str. 99, w. 9–10*
„I patrzę, piękna dziewczyno, w mą przeszłość
spowitą mgłami" – z wiersza Asnyka *Gdybym był młodszy.*


SPOWIEDŹ POETY

*w. 26*
Pięćdziesiąt kopiejek od wiersza – jedno z najwyższych
honorariów, jakie przed wojną wypłacano poetom.
*str. 101, w. 9*
Aluzja do niezbyt inteligentnej krytyki Henryka Galle w „Tygodniku Ilu-
strowanym", z powodu tomiku *Piosenek i fraszek* Boya.
*str. 102, w. 11*
O r a n g, orangutan – gatunek małpy dużego wzrostu.


W SZTAMBUCHU

*str. 103, w. 5 (tytuł)*
W s z t a m b u c h u – wiersz utrzymany w stylu barokowej polszczyzny
XVII wieku.
*w. 19*
M i n i e r y – miny.
*w. 23*
R z e ź b y – rzezie.


BEZ TYTUŁU

*str. 107, w. 14*
G ó r n e  C – najwyższa brawurowa nuta dostępna tenorom.
*w. 18*
K o l o m b i n a, P i e r r o t – figury z dawnego włoskiego i francuskiego
teatru; K o l o m b i n a – zalotnisia, P i e r r o t – cierpiący po błazeńsku, z
umęczoną twarzą i w tradycyjnym białym stroju z wielką kryzą.


PYTAJĄ MNIE SIĘ LUDZIE...

*str. 108, w. 3*
R u n y – stare księgi skandynawskie, tu użyte w znaczeniu starych ksiąg,
które w owym czasie Boy przekładał.

*str. 110, w. 9*

Zdaje się, że ten poemat *Leszek Biały* jest prostą mistyfikacją Boya i że naprawdę nigdy nie istniał.

EXPIACJA

*str. 111 (motto)*
...czas obłapiania i czas odchodzenia od obłapiania".

*str. 113, w. 1*

P r a i ł – wyrażenie wprowadzone w modę przez Przybyszewskiego w epoce Młodej Polski.

PIEŚŃ WIECZORNA

*str. 114, w. 2 (dedykacja)*
*Pieśń wieczorna* dedykowana jest Kasprowiczowi, ponieważ w formie jest poniekąd trawestacją *Mojej pieśni wieczornej* Kasprowicza.

*str. 115, w. 14*

M a j a (mitol. grecka) – bogini rzeczywistości, a raczej jej złudy.

*w. 18*

„*Q u a l i s   a r t i f e x   p e r e o* – „Jakiż artysta ginie we mnie!" Słowa, które miał wyrzec Neron, umierając.

SŁOŃCE JESIENNE

*str. 116, w. 3 (tytuł)*

W owym czasie przygnębiającą atmosferę wojenną rozjaśniał sobie czasem (rzadko) Boy zamykając się w swoim pokoju z flaszką prawdziwego tokaju. W czasie jednego z takich posiedzeń powstał ten wiersz.

JESTEM NIBY MACICA...

*str. 120, w. 8*

Znana anegdota: „Pani nie tańczy?" – „Nie." – „A czemu?" – „Pryszczyk mi się zrobił." – „W samej rzeczy?" – „Nie, obok" – odpowiada naiwne dziewczę.

*str. 121, w. 16*
    *G e n i t a l i a* – części rodne.
*w. 17*
    O s t a t n i  k w a d r a n s  o d c z y t u  jest to, jak wiadomo, jedna z rzeczy najtrudniejszych do przeżycia.
*w. 22*
    *„L a s c i a t e  o g n i  s p e r a n z a"* – „Porzućcie wszelką nadzieję" – znany cytat z Dantego.
*w. 24*
    F r a n c a – syfilis, kiła, przymiot, lues. „Bodaj cię franca" – gminne przekleństwo.

*str. 122, w. 7*
    W ś r ó d  d r z e w  l a t a r n i e  m i g o c ą – plantacje krakowskie. okalające miasto.
*w. 9*
    H e i n e – sławny poeta niemiecki.
*w. 11*
    *„D i e  K l e i n e, d i e  F e i n e, d i e  M e i n e, d i e  E i n e"* * – znany cytat z Heinego.

*str. 124, w. 14*
    Znane przysłowie: „Głupi jak nogi stołowe".
*w. 25*
    K u r e w k a – *diminutivum* (zdrobnienie) od k...a (nierządnica).

*str. 126, w. 8*
    B o  t a k ą  w ł a d z ę  m a m  d a n ą... – W tym miejscu drukarz zapomniał położyć stworzonego przez Boya znaku pisarskiego „perskie oko".

* Malutka, milutka, moja, jedyna.

w. 11
S z e h e r e z a d a – autorka opowiadająca powieści *Tysiąca i jednej* *nocy*.

*str. 130, w. 2*
L u t o... – Wincenty Lutosławski, który w owym czasie werbował członków dla swej poczwórnej abstynencji. S i e r o s ł a w s k i (Stanisław) – *conférencier* „Zielonego Balonika", stał na przeciwnym biegunie, daleki od abstynencji, zwłaszcza alkoholowej.

NOWA PIEŚŃ O RYDZU...

*w. 6 (tytuł)*
Jan M i c h a l i k – właściciel cukierni, w której rozbił obóz „Zielony Balonik".
*(informacja po tytule)*
Z d a r z y ł o s i ę r a z J a d w i d z e – sprośna piosenka ludowa czy podmiejska.
*w. 19*
[B e n k e ł e (żarg.) – bankructwo, plajta.]
*w. 24*
Ś w i ą t y n i a s z t u k – Akademia Sztuk Pięknych w Krakowie oddzielona od cukierni Michalika tylko Bramą Floriańską.
*str. 131, w. 1*
M a l a r i a (żartobl.) – zamiast: malarze.
*w. 16*
K i c z – pogardliwe wyrażenie malarskie oznaczające obrazek.
*w. 22*
P o p y t i p o d a ż – określenia zaczerpnięte z ekonomii społecznej.
*w. 26*
M u r m a c o r a z p s t r o k a t s z y – Istotnie, malarze pokryli ściany cukierni Michalika freskami, obrazami i karykaturami, które zrobiły z tego lokalu osobliwość oglądaną do dziś przez przejezdnych. Obecnie wyszedł obszerny przewodnik po „Jamie Michalika", napisany przez Zenona (Pruszyńskiego), Kraków 1930. Jak przystało na dzieło erudycji, jest w nim pełno błędów.
*str. 132, w. 6*
F a j f o k l o k – angielskie wyrażenie, na godzinę piątą po południu.

*w. 12*

R a c h e l a   z   B r o n o w i c – Pepa Singer, córka karczmarza w Bronowicach Małych, znana była od czasu *Wesela* Wyspiańskiego pod tym mianem w kołach artystów w Krakowie (por. *Plotka o „Weselu"* Boya).

*w. 21*

Franciszek   M ą c z y ń s k i, znany architekt, i Karol Frycz, znany malarz, którym Jan Michalik powierzył urządzenie nowej sali, przerobionej z podwórza w tym domu.

*str. 133, w. 8*

E d e n – raj.

CO MÓWILI W KOŚCIELE U KAPUCYNÓW...

*w. 13-14 (tytuł)*

W pierwszym okresie „Zielonego Balonika" obiegały wśród paniuś krakowskich najdziksze plotki o orgiach, które się miały dziać w owej „Jamie Michalikowej". Piosenka ta jest żartobliwym echem owych plotek.

*str. 134, w. 17*

T a b u r e c i e – przekręcone, zamiast: kabarecie.

*w. 28*

M a c i c e – przekręcona nazwa tańca *la matchitche.*

*str. 135, w. 2*

Szczegół prawdziwy. Jedna z uczestniczek zebrań „Zielonego Balonika", żona malarza, mimo daleko posuniętej dziewięciomiesięcznej ciąży, nie mogła sobie odmówić przyjemności „kabaretu". W połowie wieczoru ledwie mąż zdążył ją wyprowadzić z sali i odwieźć do domu, gdzie szczęśliwie urodziła. Chwila jeszcze, a byłoby się to odbyło w cukierni na posłaniu z paltotów.

*w. 10*

S t a s i n e k – wspomniany już wyżej młody dziennikarz, którego zamiłowanie do gorących trunków było legendarne.

*w. 14*

Witold   N o s k o w s k i – dziennikarz i muzyk, jeden z filarów „Zielonego Balonika", wówczas ogromnej tuszy.

*w. 24*

Józef Albin   H e r b a c z e w s k i – obecnie profesor w Kownie* (por. Boy, *Plotki, plotki...***).

*str. 136, w. 5*

Teofil   T r z c i ń s k i – pieśniarz „Zielonego Balonika"***.

*Zmarł w 1944 r. w Krakowie.
**Zob. szkic *Sukur-mukur* w tomie *Znaszli ten kraj?... i inne wspomnienia* (Kraków 1962).
***Później wybitny reżyser i teatrolog.

D e k a d e n t – termin już przebrzmiały, echo młodej szkoły francuskiej z końca XIX w.

POCHWAŁA OJCOSTWA

*str. 137 (informacja po tytule)*
   Dyrektor „Zielonego Balonika", a raczej jego *conférencier*, Stanisław Sierosławski, miał w rzeczywistości tylko dwoje dzieci, co prawda w bliskich odstępach. Ale piosenka ta tak przylgnęła do niego, że przesłoniła rzeczywistość; wszyscy byli długo przekonani, że „Stasinek" jest ojcem olbrzymiej rodziny, tak że jedna z pań krakowskich, internowana podczas wojny w Rosji, wróciwszy do Krakowa ubolewała nad losem Stasinka, którego (jak mówiła) widziała w Kazaniu w obozie jeńców jedzącego ze wspólnego kotła z żoną i o ś m i o r g i e m dzieci.

*(informacja po tytule)*
   D a n s e d u v e n t r e – taniec brzucha; nuta, którą pierwszy wprowadził do „Zielonego Balonika" Bogusław Adamowicz, napisawszy do niej wiersz zaczynający się od słów: „Taniec brzuchem to taniec wszechświato-o- -wy..."
*str. 138, w. 2*
   Z a p a c h e m k m i n k u – zapewne aluzja do wódki kminkówki.
*w. 6*
   B i a ł y c h k a m a s z y... – Stasinek występował na estradzie zawsze we fraku i w białych kamaszach; był to urzędowy strój *conférenciera*, przejęty po J. A. Kisielewskim.
*w. 11*
   S i e r o s ł a w s k i pracował wówczas w „Czasie", gdzie prowadził zwłaszcza dwie rubryki: *Odkrycia i wynalazki* oraz *Ze świata kobiecego.*
*w. 17 i 18*
   „W ł a ś c i w i e" i „m a l u t k o" – to były jego dwa przysłowiowe wyrażenia, wymawiane ze specjalną intonacją.
*str. 139, w. 20*
   F i d i a s z – znakomity rzeźbiarz grecki.


OPOWIEŚĆ DZIADKOWA O ZAGINIONEJ HRABINIE

*str. 140, w. 12-13 (tytuł)*
   Była to bardzo głośna w owym czasie sprawa tajemniczego zniknięcia hrabiny Z., które okazało się w następstwie przygodą romansowej natury. Wszystkie szczegóły są autentycznym powtórzeniem wersji obiegających dzienniki, po którym to alarmie nastąpiło głuche milczenie.

*str. 142, w. 1-2 (tytuł)*
Melodia do tej piosenki jest francuska.

*w. 4*
Zygmunt K r a s i ń s k i .

*str. 143, w. 13-14*
Wilhelm F e l d m a n – literat; Aleksander R a j c h m a n – dyrektor Filharmonii w Warszawie: Ferdynand H o e s i c k – literat, współwłaściciel „Kuriera Warszawskiego".

*w. 16*
L w ó w p o k r z y w d z o n y... – Błędem byłoby dopatrywać się w tych niewinnych strofach niechęci do Lwowa; tak się tylko złożyło, że w owej właśnie chwili sympatyczne to miasto miało jakąś złą „passę". Jednym z jej epizodów była humorystyczna sprawa szumnie odkrytego „Rafaela", który okazał się zwykłym knotem.

*w. 22*
Józef K o t a r b i ń s k i *.

*w. 22*
R ż y – deklamuje.

*w. 25*
„C o l o s s e u m" – nowo otwarty wówczas „tingel" lwowski cieszący się olbrzymim powodzeniem. Opowiadano z tej okazji autentyczną anegdotę o pewnej aktorce lwowskiej, którą spotkawszy w Rzymie ktoś zagadnął, czy już była w Colosseum. „Nie chodzę do takich lokali" – odparła z godnością artystka.

*w. 27*
Aby zasilić kasę Filharmonii, pomysłowy dyrektor Rajchman uciekał się do wszystkich sposobów; jednym z nich były tzw. wieczory mistyczne, gdzie przy „nastrojowym" świetle odbywały się produkcje muzyczne, deklamacje itd. Zaznaczyć trzeba, że wówczas nie znano kina; tego rodzaju sympatyczny półmrok był nowością dla publiczności, przyczynił się do szczęścia niejednej pary.

*w. 30*
Głosowanie zmarłych w czasie wyborów nie wymaga komentarza; w owym czasie było szeroko uprawiane.

*str. 144, w. 2*
Aluzja do świeżego wyboru prezydenta miasta we Lwowie; wybrano majstra blacharskiego, p. Ciuchcińskiego, zasługującego skądinąd na przydomek „rury".

---

* Krytyk literacki i aktor, prowadził teatr krakowski w latach 1899–1905.

*w. 3*

[*E c c o l a!* (wł.) – oto jest! patrzcie ją!]

*w. 6*

Rynek handlowy lwowski miał w owej epoce renomę niewielkiej solidności; istotnie defraudacje następowały jedna po drugiej.

*w. 25*

Galicja była zalana dziewczętami lekkiego prowadzenia z Czech, Węgier, Siedmiogrodu, Bukowiny – z prawem wzajemności.

ZUR HEBUNG DES FREMDENVERKEHRS

*str. 145, w. 1 (tytuł)*

Z u r   H e b u n g   d e s   F r e m d e n v e r k e h r s – dla podniesienia ruchu przyjezdnych; zwrot powtarzający się w turystycznych czasopismach austriackich.

*w. 3*

Stefan   K r z y w o s z e w s k i   – redaktor „Świata", znany komediopisarz.

*w. 8*

P a p i e r k i – papierowe pieniądze, banknoty.

*w. 13*

W y s z ł o   w p r a w d z i e   z   k r z a k ó w... – tzw. plantówki.

*w. 14*

[*C o m m e   i l   f a u t* (fr.) – jak trzeba, w dobrym tonie.]

*w. 16*

Fabryka cygar zatrudniała w Krakowie wielką ilość dziewcząt i odgrywała znaczną rolę w życiu erotycznym Krakowa. (Porówn. *Carmen* i stosunki w Hiszpanii.)

*str. 146, w. 8*

T a p e n   j o,   a b e r   s z t y k e n   n y s z! (żargon) – oznacza mniej więcej, że „pomacać można, ale... nie".

*w. 16*

W owym czasie wprowadzono na dworcach kolejowych dyżury pań pod wezwaniem „ochrony samotnie podróżujących kobiet" i umieszczono afisze zwrócone do „katolickich dziewcząt".

*w. 28*

W owym czasie panowała w krakowskim teatrze prawdziwa epidemia małżeństw, przedtem w świecie teatralnym mniej koniecznych.

*str. 147, w. 3*

O d e r b e r g* – stacja węzłowa w drodze do Wiednia.

* Obecnie Bogumin

*w. 6 (tytuł)*
Melodia francuska.

*(informacja po tytule)*
Korespondencji p. Ferdynanda Hoesicka, tchnącej optymizmem i radością życia.

*(motto)*
[„*D e s   L e b e n s   u n g e m i s c h t e   F r e u d e   w a r   d o c h   e i n e m   I r d i s c h e n   z u t e i l*" „Życia niezmącona radość stała się przecież jednej istoty ziemskiej udziałem", strawestowany cytat z Schillera *Der Ring des Polykrates*.]

*str. 148, w. 13*
K a w u s i a   z   p i a n k ą – anachronizm, gdyż „kawusia z pianką" była raczej przysmakiem wiedeńskim.

*w. 30-31*
O b c i s ł e   g a t k i   ś m i e j ą   s i ę   d o ń – wyrażenie ekspresjonistyczne.

*str. 149, w. 6*
M ó j   s y s t e m, *Mein System* Muellera, czyli kwadrans dziennie dla zdrowia – system gimnastyki pokojowej.

*w. 15*
C h a b l i s – białe wino francuskie.

*w. 21*
S z l u m e r e k – drzemka.

*w. 25*
A b o r t – wychodek, ustęp, prewet, klozet.

*str. 150, w. 4*
K u r h a u s – dom zdrojowy.

*str. 151, w. 25 i 27*
*M a   t o u t e   b e l l e... Q u e l   e s t   v o t r e   p r i x ?* – Moja śliczna... Jaka twoja cena?

*str. 152, w. 3*
*C ' e s t   m o n   p r i x   f i x e* – To moja cena stała.

GŁOS DZIADKOWY O ROBOTACH ZIEMNYCH PANA PREZYDENTA

*w. 21-22 (tytuł)*
Tradycyjna melodia dziadowska.

*(tytuł)*
[P a n   p r e z y d e n t – Juliusz Leo, prezydent Krakowa w latach 1904–1918; zob. o nim w *Znaszli ten kraj?...*]

333

*str. 153, w. 22*
Ś p a s, z niemieckiego *S p a s s* – kpiny.


OPOWIEŚĆ DZIADKOWA O CUDACH JASNOGÓRSKICH

*str. 154, w. 1-2 (tytuł)*
Poświęcone głośnej wówczas sprawie ks. Macocha.
*w. 19*
J e d e n   n a j g o r s z y – ks. Macoch. Szczegół z sofą autentyczny.
*w. 23*
Przeor  R e j m a n.
*str. 155, w. 9-10*
Autentyczne. Zamordowaną przez siebie ofiarę, jeszcze żywą, ksiądz Macoch namaścił św. olejami.
*w. 18*
P o c h r o ń – postać z *Dziejów grzechu* Żeromskiego.
*w. 20*
X i ą d z  K o r d e c k i, który obronił Częstochowę od Szwedów, mimo że w ostatnich czasach pojawiły się dokumenty podające tę akcję w wątpliwość.
*w. 28*
Wezwanie do składek na Jasną Górę celem przebłagania Boga za zbrodnię Macocha – autentyczne.


PIOSENKA SENTYMENTALNA

*str. 156 (informacja po tytule)*
[*E n v o i   d e   f l e u r s* (fr.) – przesłanie kwiatów.]


ROZKOSZE ŻYCIA

*str. 157, w. 18 (tytuł)*
Pierwotny tytuł brzmiał: *Joie de vivre\**. Melodia francuska.
*str. 158, w. 9*
Wyrażenie „szczęście negatywne" znalazł Boy znacznie później ze zdziwieniem w *Pawle i Wirginii* Bernardina de Saint-Pierre.
*w. 25*
Lucjan  R y d e l – patrz wyżej.


\* Radość życia

334

Ferdynand H o e s i c k – patrz wyżej.

GŁOS ROZJEMCZY W SPRAWIE PANA WILHELMA FELDMANA...

*str. 160, w. 1-3 (tytuł)*
Wilhelm F e l d m a n – autor *Historii literatury polskiej\**. Literatura ta, zawierająca ostre nieraz i dość stronnicze sądy o żyjących pisarzach, spowodowała wiele kwasów, zwłaszcza że autor jej nieraz z jednego wydania na drugie zmieniał swój sąd zależnie od osobistego ustosunkowania się pisarza do niego. Polemika, o której mowa, wywiązała się po piątym wydaniu, którego ostrą krytykę zamieścił Ignacy Rosner w felietonie „Czasu".
*w. 17*
...j e s t h o f r a t e m – Ignacy Rosner zajmował w Wiedniu urzędowe stanowisko hofrata, czyli radcy dworu w ministerium dla Galicji.
*w. 22*
Ż a d e n m o n i s t a... – Teoria monizmu, przy której opowiadał się Feldman, podczas gdy Rosner tłumaczył mu, że nie ma o niej żadnego pojęcia.
*str. 161, w. 4*
Znane wystąpienie Feldmana przeciwko „pomniejszycielom olbrzymów".
*w. 6*
J a k p a n s z m i? – Feldman, namiętny w sporach, zapalał się i wówczas nie zawsze dobrze panował nad polszczyzną.
*w. 14*
„Z r o z u m i a n o?" – Dosłowny zwrot z odpowiedzi Feldmana.
*w. 16*
Jerzy Ż u ł a w s k i\*\*.
*w. 19*
Świeżo wówczas utworzona p i ą t a k u r i a ludowa, ustępstwo na rzecz socjalistów.
*w. 24*
Feldman ogłosił jako wiersz Wyspiańskiego wierszyk Fredry, który Wyspiański jako młody chłopiec przepisał do swego kajetu.
*w. 28-29*
Znana historia z wierszem Słowackiego *Do Laury*, z którego parę strofek – – niby to młodego autora – posłano Feldmanowi redagującemu „Ilustrację Polską". Feldman wyśmiał autora wiersza jako grafomana, a przesłane strofy

---

\* Właściwy tytuł: *Piśmiennictwo polskie ostatnich lat dwudziestu*, a od 1905 r. *Współczesna literatura polska*.
\*\*Poeta i powieściopisarz, autor znanej powieści fantastycznej *Na srebrnym globie*.

przytoczył w *Odpowiedziach od redakcji* dla zademonstrowania ich nędzy. (Por. Boy, *Plotki, plotki...*).

*str. 162, w. 4*

Pan piszesz s a m e  p r e m i e r y – To znaczy: pańskie sztuki padają po pierwszym przedstawieniu. Zważmy, że to było w Krakowie, gdzie trzy przedstawienia sztuki oznaczały sukces, a zejście z afisza po pierwszym przedstawieniu nie było rzadkością.

*w. 6*

Kazimierz Przerwa-Tetmajer, który napisał w owym czasie bardzo gwałtowny „list otwarty" przeciw Feldmanowi, skarykaturowawszy go wprzód dotkliwie w jednej ze swoich powieści, co wywołało namiętną replikę Feldmana.

*w. 26*

Q u o u s q u e – dokądże („*Quousque tandem...*" – początek głośnej *Katylinarki* Cycerona).

*str. 163, w. 14*

Berek  J o s e l o w i c – [Berek Joselewicz] pułkownik wojsk polskich, który poległ pod Kockiem.

*str. 164*

Ul. Berka Joselewicza w Krakowie była siedzibą zamtuzów.

KILKA SŁÓW W OBRONIE ŚWIĘTOŚCI MAŁŻEŃSTWA

*str. 166, w. 14*

Ż e  c h c e  b y ć  t y l k o  s i o s t r ą... – aluzja do autentycznego zdarzenia w świecie krakowskim.

*str. 167, w. 2*

Józef  S a r e – wiceprezydent miasta, kojarzył śluby cywilne dla bezwyznaniowych.

PIOSENKA PRZEKONYWUJĄCA

*str. 167, w. 5 (informacja po tytule)*

[*P e t i t  c h a g r i n* (fr. – małe zmartwienie.]

«ZIELONY BALONIK» – MUZEUM NARODOWEMU

*str. 169, w. 1-2*

Pisane z okazji jubileuszu Muzeum Narodowego, dość humorystycznie traktowanego przez młode koła malarskie, skupiające się w „Jamie Michalikowej". Cały wieczór „Zielonego Balonika" w odpowiednio przyrządzonej sali poświęcony był parodii owego jubileuszu.

*w. 13*

Feliks K o p e r a – jak wyżej.

*w. 23*

S a m   k a l o r y f e r... – Jednym z powodów rozgoryczenia malarzy było to, że cały budżet obracano na komfortowe urządzenia muzeum, kosztem sum przeznaczonych na zakupy obrazów.

*str. 170, w. 11*

K a m i e n i e,   c o   p r z e t r w a ł y – lapidarium w Muzeum Czapskich.

*w. 25*

S ł o w i a ń s k i   ś w i a t... – Na obchodzie jubileuszowym nie brak było przedstawicieli Słowiańszczyzny.

*str. 171, w. 2*

[W e s o ł a   w d ó w k a – operetka Fr. Lehára.]

*w. 6*

Dom Czynciela, odnowiony właśnie w stylu neostarożytnym, naprzeciw kościoła Mariackiego.

*w. 19*

Maciej S z u k i e w i c z – kustosz domu Matejki, literat.

*w. 24*

Ambitny dyrektor Muzeum Narodowego stwarzał sztuczną nieco ekspansję, tworząc rozmaite „filie".

*str. 172, w.7*

P a g a c z e w s k i – historyk sztuki, sekretarz Muzeum Narodowego.

*w. 24*

M a l a r z y   k o ś c i... – Zawieszono na tę uroczystość gablotkę ze szkieletami noszącymi nazwiska Czajkowskiego, Kamockiego i innych młodych malarzy, członków „Zielonego Balonika".

JESZCZE JEDNA FILIA MUZEUM NARODOWEGO

*str. 173, w. 12 (informacja po tytule)*

T a p e r – Witold Noskowski.

*w. 14*

Feliks J a s i e ń s k i, zwany M a n g g h a, od książki, którą pod tym tytułem napisał po francusku, namiętny zbieracz japońszczyzny i sztuki współczesnej, szukał miasta, któremu by mógł ofiarować swoje zbiory; stawiał jednak pewne wymagania, mianowicie, że zbiory te pozostaną dożywotnio w jego mieszkaniu, w którym on będzie nadal mieszkał jako kustosz swego muzeum, i że będzie jako kustosz pobierał odpowiednią pensję. Później, poróżniwszy się z zarządem miasta, cofnął darowiznę. Cała rzecz rozegrała się po prostu przez przybicie na drzwiach tabliczki „Filia Muzeum Narodowego" i zdjęcie tej tabliczki. Potem Manggha obszedł inne miasta ze swą darowizną, wszędzie się pokłócił i wrócił wreszcie do Krakowa, gdzie też jego zbiory pozostały.

MISTRZOWI STYCE

*str. 175, w. 1 (tytuł)*
Jan S t y k a (patrz felieton Boya: *Psychologia sukcesu)* – malarz nietęgi, ale kombinator palety w wielkim stylu, miał już za sobą dwie panoramy, kiedy zjechał z Paryża przed rocznicą Grunwaldu z projektem wymalowania panoramy grunwaldzkiej i umieszczenia jej we wnętrzu Rondla, czyli Barbakanu. Projekt ten wywołał oburzenie konserwatorów i kulturalnych sfer Krakowa, ale pozyskał sympatię mieszczańskiej większości Rady Miejskiej i omal nie przeszedł. Ośmieszenie go w „Zielonym Baloniku", z którego opinią prezydent miasta Leo bardzo się liczył, przyczyniło się niemało do ubicia projektu.

POBUDKA...

*str. 176, (informacja po tytule)*
Z powodu uroczystości sześćdziesięcioletniego panowania Franciszka Józefa Polacy wzięli udział w pochodach i obchodach wiedeńskich; Wojciech Kossak reprezentował tam Jana Sobieskiego.
*w. 15*
U z i ę b ł o, U z i ę b ł o... – Uziębło był młody i przystojny malarz, który na tej uroczystości był panem młodym w *Krakowskim weselu.*
*w. 20*
T u r c y j a z A u s t r y j ą... – Stosunki między Turcją a Austrią były w owej chwili mocno naprężone, przebąkiwano o możliwej wojnie.
*w. 26*
[ B r o n o w i c e – z córkami gospodarskimi z Bronowic pożenili się Lucjan Rydel i Włodzimierz Tetmajer. Bronowice stały się wtedy ośrodkiem ludomańsko nastrojonej cyganerii artystycznej.]
*str. 177, w. 1*
W ł o d e k j u ż m a l u j e... – Włodzimierz Tetmajer.
*w. 9*
P u ł k t r z y n a s t y piechoty – popularny pułk krakowski, tzw. krakowskie dzieci.

338

*w. 19 (tytuł)*

Z powodu paru artykułów i jednego odezwania się malarza Józefa Mehoffera wynikło w świecie malarskim kwasów na kilka miesięcy; spraw honorowych było mnóstwo, doszło nawet do pojedynku na pałasze między Mehofferem a Wyczółkowskim! Ponieważ Mehoffer miał powiedzieć do ministra, informującego się o sztukę polską, że poza stowarzyszeniem „Sztuka" reszta to z e r o, oburzeni malarze bojkotujący „Sztukę" lub przez nią bojkotowani zawiązali wspólnie nowe stowarzyszenie pod ironiczną nazwą „Zero". Stowarzyszenie to, do którego należeli m. in. Jacek Malczewski, Wojciech Kossak, Witold Wojtkiewicz, Włodzimierz Tetmajer i in., zgasło po jednej wystawie.

*w. 27*

G a j e r – znany handlarz starzyzny.

*str. 178, w. 5*

[W y c z ó ł – Leon Wyczółkowski (1852–1936), malarz i grafik, profesor Akademii Sztuk Pięknych w Krakowie w latach 1895–1911.]

*w. 10*

B l a s z k e, R a s z k a, L a s z c z k a – nazwiska trzech rzeźbiarzy, między którymi również wybuchły nieporozumienia.

*w. 20*

Wojciech Kossak był duszą tej imprezy, dla której pozyskał Jacka Malczewskiego. Sam wymalował portert Ireny Solskiej jako Infantki w *Cydzie*.

PIOSENKA WZRUSZAJĄCA

*str. 179 (informacja po tytule)*

[*F l e u r s   e t   p e n s é e s* (fr.) – kwiaty i marzenia.]

PIEŚŃ O DOMU MALARSKIM

*str. 182, w. 14*

D i u r n i s t a – kancelista.

PROROCTWO KRÓLOWEJ JADWIGI

*str. 183 (tytuł)*

*Proroctwo królowej Jadwigi* napisane na wesołą a popularną wówczas

melodię *Cake-walka* (początek melodii murzyńskich) z powodu akcji w gaze-
tach na rzecz kanonizacji królowej Jadwigi.

*str. 185, w. 12*
  (N a   p o l a c h   c h w a ł – aluzja do powieści Sienkiewicza o Sobieskim
*Na polu chwały.*)

*str. 186, w. 28*
  Rydel w artykułach swoich domagał się natychmiastowej kanonizacji.


POŻEGNANIE

*str. 187, w. 10 (tytuł)*
  Melodia francuska.

*str. 188, w. 8*
  [*Q u i t t e* (fr.) – tu: skwitowani.]

*w. 15*
  Vi e u x   r.a m o l l i – stary ramol.


PIEŚŃ O «RAFAELU» NOWO UTWORZONEGO LWOWSKIEGO MUZEUM

*str. 191, w. 1 (tytuł)*
  Otworzono wówczas we Lwowie Muzeum Miejskie, którego ozdobą miał
być jakiś skądsiś wytrzaśnięty „Rafael", z czego było wiele korowodów i
sporo śmiechu.

*w. 7 i 9*
  B a t i a r k a,   b a t i a r – lokalne wyrażenia lwowskie odpowiadające
„andrusowi".

*w. 21*
  C i u c h c i ń s k i – mieszczanin lwowski i prezydent miasta.


HISTORIA «PRAWICY NARODOWEJ»

*str. 192, w. 1 (tytuł)*
  P r a w i c a   N a r o d o w a – konserwatywne stronnictwo założone w
owym czasie w Krakowie przez prof. Władysława Leopolda Jaworskiego,
posła na Sejm Galicyjski i namiętnego polityka.

*str. 194, w. 2*
  [„Z   s z l a c h t ą   p o l s k ą   p o l s k i   l u d" – cytat z *Psalmu miłości*
Zygmunta Krasińskiego.]

*(dedykacja)*

Karol F r y c z – jeden z filarów „Zielonego Balonika"; odnawiał wów-
czas kościół w Szczucinie i oczarował tamtejszego proboszcza, ks. Józefa
Rokosznego, tak że ksiądz ów napisał sporą monografię artysty pt. *Karol
Frycz* i wydał ją drukiem.

*str. 195, w. 20*

K a p ł o n y   p o d s k u b a n e... t ł u s t e   j e n d y c z k i... – Pasją Frycza było malowanie albo wystrzyganie – własną oryginalną techniką – ptac-
twa domowego.

*w. 25 i 27*

Teofil T r z c i ń s k i – jw.; Konrad R a k o w s k i – dziennikarz, jeden z
przyjaciół „Zielonego Balonika". Frycz, z temperamentu karykaturzysta,
istotnie niektórym figurom w kościele dał rysy znajomych osób.

*w. 28*

Komisję z ramienia urzędu konserwatorskiego stanowili Witold Noskowski i Jerzy Warchałowski, najbliżsi przyjaciele Frycza i... „Zielonego Balonika".

*str. 196, w. 4*

D r o b n e r – właściciel restauracji na rogu placu Szczepańskiego, którą
Frycz po pożarze odnawiał i tam właśnie wprowadził ornament z kapłonów i
indyczek.

Z NIE WYDANEJ «SZOPKI KRAKOWSKIEJ» NA ROK 1907 i 1908

*str. 198, w. 1 (tytuł)*

B i o g r a f – Ferdynand Hoesick, który właśnie wydał dwutomowe dzieło
biograficzno-monografi-panegiryczne o Stanisławie Tarnowskim jeszcze za
jego życia.

*w. 3-4*

W ł a ś n i e   p o w r a c a m   z   O s t e n d y... – patrz *Esik w Ostendzie.*

*w. 20*

„*L a   c i   d a r e m   l a   m a n o*" *(Don Juan)* – „Podamy sobie rękę".

*w. 22*

D a j   m i   t w ą   f o t o g r a f i ę... – Istotnie, w dziele Hoesicka były takie
fotografie.

*(przypis)*

W *Szopce* kończył się ten duet następującą strofą, włożoną w usta Prezesa:
„Nie będzie z tego pociech – ostrzegam jeszcze raz – by Dzieduszycki Wojciech – obu nie zgasił nas..." Istotnie, Wojciech Dzieduszycki, cichy kpiarz

nad kpiarzami, napisał o dziele Hoesicka recenzję, w której ubawił się trochę kosztem obu.

## O HIENKACH MICHALIKOWYCH W POWIECIE MIELECKIM

*str. 199, w. 25*

P a n  B o b r z y ń s k i – głowa stronnictwa konserwatywnego, człowiek zdolny i silnej ręki, ale suchy i niepopularny. Chodziło rządowi o to, aby przeforsować jego wybór, i w istocie zmobilizowano, skąd się dało, sprężystych ludzi do agitacji, czyli na tzw. hieny wyborcze. Trzej bliscy przyjaciele „Zielonego Balonika" udali się w Mieleckie w tej misji.

*str. 200, w. 14*

E s e n c j a – zamiast: Ekscelencja (Bobrzyński był tajnym radcą).

*w. 24*

Tadeusz  Z a k r z e w s k i – młody kandydat adwokacki, często występujący ze swymi piosenkami na estradzie „Balonika".

*w. 22*

Leoncjusz  W y b r a n o w s k i – Witold  K a d e n.

*w. 26*

Autentyczne: bojąc się niepopularności nazwiska Bobrzyńskiego, agitowano za  D o b r z y ń s k i m, a wpisywano na listę Bobrzyński.

*w. 28*

A n k l e b u j e – przybija.

*str. 201, w. 17*

[F a k e l c u g (z niem.) – marsz z pochodniami.]

## KUPLET POSŁA BATTAGLII

*str. 202, w. 1 (tytuł)*

Roger  B a t t a g l i a – jeden z najwybitniejszych wówczas posłów do parlamentu austriackiego, wciąż wymieniany w kombinacjach ministerialnych; człowiek niesłychanej żywotności i temperamentu, łączący zdolność pracy z potrzebą zabawy, stał się od czasu tej piosenki zagorzałym przyjacielem „Zielonego Balonika", na którego estradzie nieraz występował, zwykle pojawiając się wprost z pociągu, którym na tych kilka godzin nocy z Wiednia przyjeżdżał.

*w. 18*

[T a c h l o w a ć (z niem.) – szachrować.]

*str. 203, w. 3*

[W s z e c h p o l a c y – endecy.]

*w. 9*
„M o u l i n  R o u g e" – lokal szampański w Wiedniu na wzór paryskiego.

*w. 18*
K o l i s c h e r – wielki przemysłowiec i poseł do parlamentu.

STUDENT I STUDENTKA ZE STOWARZYSZENIA «ETHOS»

*str. 204, w. 1-2 (tytuł)*
Jedno ze stowarzyszeń „czystościowych", których pełno w owej porze potworzyło się w Krakowie.

*w. 11*
P e l e r y n a – w owym czasie z Paryża importowany klasyczny strój cyganerii artystycznej i studenckiej, tak męskiej, jak żeńskiej.

GOSPODARZ Z BRONOWIC ŚPIEWA W TYM SAMYM PRZEDMIOCIE

*str. 205, w. 23*
O d  S a k s a... – Ogromny procent galicyjskiej emigracji chłopskiej ciągnął w owym czasie „na Saksy" (do Saksonii).

KUPLET FOOTBALISTY

*str. 208, w. 5*
„K e c z k e m e t" z  D e b r e c z y n a... – Były to pierwsze upojenia międzynarodowych meczów.

*w. 8*
Również były to pierwsze przejawy obyczaju skrótów literami.

*w. 28*
V y k o u k a l – popularny sędzia meczów piłki nożnej.

*str. 209, w. 20*
Poranne wydanie „Czasu" pierwsze eksploatowało zapał publiczności do zawodów sportowych i poświęcało im wiele miejsca, co w owej dobie było jeszcze wyjątkiem.

KUPLET JACKA SYMBOLEWSKIEGO

*str. 210, w. 4 (tytuł)*
Malarz Jacek  M a l c z e w s k i

*w. 10*

P i r ó g – stosowany kapelusz, część urzędowego munduru profesorów Akademii Sztuk Pięknych; Jacek Malczewski zrezygnował z tej profesury.

*w. 16*

C z y  t o  s i e r ś ć ... – Malczewski często malował sam siebie jako fauna i w ogóle bardzo często z dodatkiem rozmaitych akcesoriów i symbolów.

«SOWIZDRZAŁ» DAWNIEJ I DZIŚ

*str. 211, w. 1 (tytuł)*

Jest to trawestacja *Kanzony* Nowaczyńskiego napisanej dla „Figlików", kabaretu (krótkotrwałego zresztą żywota), założonego w Krakowie przez Arnolda Szyfmana. K a s z t e l a n  przedstawia Nowaczyńskiego, wziętego literata w Warszawie; S o w i z d r z a ł  tegoż samego przedtem, jako biedującego cygana w Krakowie.

*w. 12*

Z e  S t a s i n k i e m – Sierosławskim.

*w. 19*

Na Pawiej był znany dom publiczny. R e ń s k i  lub  g u l d e n  – moneta austriacka, wartości 40 % dolara.

*w. 23*

O  n i c h  s z t u c z k i  s e  s m a ż y : *Dymitr, Fryderyk* etc.

KUPLET PADEREWSKIEGO

*str. 213, w. 19*

[ W i l l a  w  M o r ż – willa Paderewskiego w Morges w Szwajcarii.]

KUPLET JANA W DWÓCH OSOBACH STYKI

*str. 214, w. 1 (tytuł)*

Jan  S t y k a  – obacz wyżej.

*w. 17*      ‘

B ę d z i e  w i ę c  J a g i e ł ł ą ... – Pragnąc swego czasu przeforsować swój projekt, Styka obiecywał radcom miejskim, że pomieści ich konterfekty w panoramie grunwaldzkiej. M i e d n i a k,  K o s o b u d z k i  – mieszczanie i wpływowi radcy miejscy. Lalka, robiona przez Jana Szczepkowskiego, przedstawiała ogromnego Stykę, niosącego pod pachą małego „Tadé".

*str. 215, w. 8*
Lalka przedstawiała staruszka z siwą brodą do pasa.


KUPLET POSŁA Z «RAJCHSRATU» WIEDEŃSKIEGO

*str. 216, w. 1 (tytuł)*
R a j c h s r a t – parlament.
*w. 8*
Kawiarnia Puchera w Wiedniu była siedzibą polskich posłów do parlamentu i w ogóle znaczniejszych Polaków bawiących w Wiedniu.
*str. 217, w. 4*
S a c h e r – wytworna restauracja wiedeńska.
*w. 10*
[Paul G a u t s c h – trzykrotny premier austriacki; C h o c – prawdopodobnie Jan Nepomucen Hock, dyrygent i skrzypek, popularny w Krakowie kapelmistrz trzynastego pułku; Georg S c h o e n e r e r – nacjonalista wszechniemiecki, poseł do parlamentu austriackiego.]


TRYUMFY «POLSKIEGO KABARETU»

*str. 218, w. 1 (tytuł)*
Ewangelia „Zielonego Balonika" obiegła cały kraj; wszędzie rozpleniły się kabarety: od stowarzyszeń robotniczych do artystycznych salonów, od stolic aż do głębokiej prowincji, gdzie zwykle kończyły się kwasami, ponieważ poruszały, nie zawsze dyskretnie, prywatne sprawy znanych figur w miasteczku.
*w. 15*
C o n f é r e n c i e r – osobistość zapowiadająca poszczególne numery i prowadząca kabaret, przemawiająca wciąż do publiczności.
*w. 23*
[K e k ł o k (ang. *cake-walk)* – modny wtedy taniec z wyginaniem się i wyrzucaniem nogami.]
*str. 219, w. 30*
K u n e r o l – namiastka masła.

*str. 220, w. 1-3*

Doroczne rozdanie nagrody Barczewskiego poruszało co roku świat artystyczny: nagroda, sama przez się dość znaczna, stanowiła przy tym zaszczytne
wyróżnienie. Komitet utrwalił jako zwyczaj dość zabawne nadużycie: mianowicie nie poprzestawano na udzielaniu nagrody jednemu artyście, ale
robiono w sprawozdaniu przegląd tych, którym z tych czy innych powodów
nie udzielano nagrody, wziąwszy ich jednak pod uwagę. Autorem tych spra-
wozdań, ogłaszanych drukiem, bywał Jerzy Mycielski, historyk sztuki, figura
na ogół sympatyczna, ale mająca wiele stron komicznych. Sprawozdania te
słynęły w świecie artystów jako humorystyczna lektura.

*w. 14*

Leonard L e p s z y – nietęgi malarz, jeden z konserwatorów.

*w. 16*

Józef M ę c i n a K r z e s z – epigon Matejki, malujący wielkie „kobyły"
historyczno-religijne i inne, był w epoce wystaw „Sztuki" pociesznym ana-
chronizmem. Nazywano go potocznie K r ę c i n a W e s z.

*str. 221, w. 4*

*G i o c o n d a* – słynny obraz Leonarda da Vinci w paryskim Luwrze.

*w. 25*

L w o w s k i R a f a e l – patrz poprzednio: *Pieśń o lwowskim Rafaelu.*

*w. 26*

*V a n d e r K n o o t...* – *knot, w narzeczu malarskim: bohomaz.*

*str. 222, w. 2*

*Wystawa sztuk pięknych mieściła się na placu Szczepańskim. Warun-*
*kiem nagrody było poprzednie wystawienie dzieła sztuki tamże.*

NOWINKI KRAKOWSKIE

*w. 11*

L i n i a A – B na R y n k u k r a k o w s k i m – ludowy salon krakowski, podówczas miejsce wieczornych przechadzek, najruchliwszy punkt
Krakowa.

*str. 223, w. 6*

Pomnik Grażyny w ustronnym miejscu na plantacjach był ulubionym
punktem schadzek.

*str. 225, w. 2 (informacja po tytule)*
W owym czasie wybuchły nieporozumienia między dyrekcją Akademii Sztuk Pięknych (dyrektorem był Fałat) a uczniami, którzy mając przed oczyma wzory wojującego socjalizmu zastosowali dosłownie jego metody, co na gruncie artystycznym wydało dość komiczne rezultaty. Mimo to sprawa zakroiła się poważnie, wdało się w to ministerium, przeprowadzono w uczelni doniosłe zmiany; między innymi zmieniono dyrekturę na rektorat, z rektorem wybieranym co roku.
*w. 7*
G r a f i k i  n i e  m a... Stworzenie katedry grafiki było jednym z postulatów.


«POMNIKOMANIA» KRAKOWSKA

*str. 226, w. 1 (tytuł)*
Obyczajem krakowskim było, iż wszelkie pochody i obchody kończyły się pod pomnikiem Mickiewicza, gdzie kolejno każdy mówca wygłaszał swoje *credo,* wciągając wieszcza do swego obozu.
*w. 2 (informacja po tytule)*
[*M a m z e l l  N i t o u c h e* – operetka Hervégo z r. 1883.]
*w. 21*
[P a n  K r k – prawdopodobnie żartobliwe przekręcenie nazwiska Krček (Franciszek, docent uniwersytetu lwowskiego, który dużo pisał o Mickiewiczu).]


KUPLET POSŁA WŁ. L. J. AWORSKIEGO

*str. 227, w. 11 (tytuł)*
Władysław Leopold  J a w o r s k i  – współpracownik „Czasu", polityk z typu rejenta Milczka, cierpliwy i pamiętliwy, reprezentant „konserwy", która w owym czasie zaczęła tracić wpływ.
*w. 19*
[„C z a s" – dziennik krakowski, organ stańczyków. Zob. o „Czasie" i jego redaktorach felieton *Odwet Stańczyka* w *Znaszli ten kraj?*...]
[R a k o w i c e – tu: cmentarz Rakowicki w Krakowie.]

«KURDESZ MINISTERIALNY» POSŁA ZIEMI KRAKOWSKIEJ
BRONIMIERZA HETMAJERA

*str. 228, w. 14 (tytuł)*

Włodzimierz T e t m a j e r – malarz, poseł stronnictwa ludowego z ziemi krakowskiej, człowiek o temperamencie artysty i animuszu szlacheckim, co nieraz wydawało zabawne kontrasty (por. *Plotka o „Weselu" Wyspiańskiego* Boya w zbiorze *Marzenie i pysk*). Podochociwszy sobie zwykł był śpiewać tradycyjne k u r d e s z e. *Kurdesz ministerialny* oparty jest na rzeczywistym zatargu politycznym w Wiedniu.

*w. 22*

S t ü r c k – ówczesny prezydent ministrów.

*w. 25*

*„Eques polonus sum, loquor latine!"* – „Jestem szlachcic polski, mówię po łacinie!" – wykrzyknik Zagłoby z *Ogniem i mieczem*. Aluzja do tego, że Tetmajer, po jakimś zatargu z ministerium w Wiedniu, odgrażał się, że nie będzie z ministrem korespondował po niemiecku, ale jako szlachcic polski, po łacinie.

*w. 26*

Z r o b i s z, p s i a w i a r o, z a r a z P i a s t a b r a t a (to znaczy Polaka) ministrem skarbu albo kolei.

*w. 28*

V ö s l a u s k i e w i n k o – cienkie wino austriackie, które pijał Tetmajer, mający słabą głowę.

*w. 29*

F r a n c e n s r i n g, przy którym położony był parlament w Wiedniu.

*str. 229, w. 5*

K u r d e s z – staropolska piosenka pijacka, zaczynająca się od słów: „Każ podać wina, gospodarzu miły..."

*w. 14*

B u r m i s t r z – prezydent miasta Leo, ambitny polityk, aspirujący do teki ministra.

*w. 15*

[*Partem leoninam* (łac.) – gra słów: „lwią część" i „część Juliusza Leo".]

*w. 18*

Władysław Leopold J a w o r s k i – jak wyżej.

*w. 23*

Ludomił G e r m a n – radca szkoły, przez pewien czas dość wpływowy polityk na gruncie wiedeńskim.

*w. 26*

Jan S t a p i ń s k i – ludowiec, miał owego czasu jakąś aferę z kolczykowaniem świń.

*str. 230, w. 1*

W r ó b e l – urzędnik kolejowy, jeden z posłów stronnictwa ludowego.

KOKOTKA KRAKOWSKA Z LINII A–B

*w. 26*

[*G r a f   v o n   L u x e m b u r g* – operetka Fr. Lehára.]

*str. 231, w. 3*

G ł u c h o   w   k r ą g... – życie nocne w Krakowie było w istocie cmentarne.

*w. 11*

G o ś ć – wyrażenie techniczne w owym świecie na oznaczenie klienta.

*w. 14*

S z p e r a – drobna opłata za otwarcie bramy. W ubogim budżecie krakowianina i ta skromna opłata (20 halerzy) odgrywała rolę, toteż uderzenie godziny dziesiątej było przypieczętowaniem opustoszenia miasta.

*w. 18*

S z ó s t k a – stara moneta austriacka, której nazwę zachowała moneta dziesięciogroszowa, a później dwudziestohalerzowa.

*w. 32*

K o r o n a – jednostka monetarna, w przybliżeniu wartości franka szwajcarskiego.

OPOWIEŚĆ DZIADKOWA O CUDACH RAPPERSWYLSKICH

*str. 232, w. 10–11 (tytuł)*

W owym czasie toczyła się zawzięta kampania o uzdrowienie stosunków w muzeum rapperswylskim, wszczęta rewelacjami Żeromskiego.

*w. 18*

D z i a d u ś   p o c z c i w y – kustosz Różycki.

*w. 21*

K o p e r a – dyrektor Muzeum Narodowego w Krakowie, słowo użyte tutaj jako tytuł zawodowy.

*str. 233, w. 16*

K u s t o s z   R ó ż y c k i – poczciwy dziwak, fabrykował rozmaite eksponaty, którym dorabiał później fantastyczną genealogię, również sporządzał sam obrazy, które sygnował nazwiskami wielkich mistrzów.

*w. 22*

Komisja, która zebrała się w Rapperswylu dla rozsądzenia tej sprawy, wydała wykrętne orzeczenie w intencji salwowania władz.

*str. 236, w. 9–10*
[*P r a c h t a u s g a b e* (niem.) – wydanie ozdobne.]
*str. 238, w. 32*
[R u b i k o n – tu wyrażenie karciane: sto punktów, które partner musi przekroczyć, ażeby wygrane nie liczyły się jako przegrane.]

BODENHAIN
*str. 241 (tytuł)*

B o d e n h a i n – podówczas grana sztuka Lucjana Rydla, pełna niewybrednej dydaktyki, martwa jako dzieło dramatyczne, osnuta była na walce o ziemię między ziemiaństwem w Poznańskiem a wywłaszczycielskimi dążeniami rządu. Żart ten wystawiony był w „Zielonym Baloniku" z marionetkami Karola Frycza.

*str. 242, (informacja po tytule)*
[Ferdynand H o e s i c k z upodobaniem pisywał książki o miłości w życiu wielkich pisarzy, np. *Miłość w życiu Zygmunta Krasińskiego*.]
*str. 243, w. 1*
[*D r a m a t i s p e r s o n a e* (łac.) – osoby dramatu]
*w. 2–10*
[S o l s k i, ʒ o b i e s ł a w, K o s i ń s k i, W ę g r z y n, B o ń c z a – wybitni aktorzy w ówczesnym teatrze krakowskim.]
*w. 6*
[*S e c u n d o v o t o* (łac.) – z drugiego małżeństwa.]
*str. 245, w. 2*

S z l a g i e r d u ż y – dziewiątka, najwyższa karta w bakaracie; s z l a g i e r m a ł y · ʊsemka, bardzo wysoka karta, prawie dająca pewność wygranej.
*w. 3*

G u s t o w ˆ ˊ – filować, techniczne wyrażenie karciane, oznaczające powolne odsłanianie karty dla przedłużenia emocji i niezdradzania jej twarzą.
*w. 12*

S z ó s t k c z w ó r k ą – daje dziesięć, czyli zero: najgorsza karta.
*w. 21*

S z a m b e l a n jak w ogóle wszystkie te figury wzięci są wiernie ze sztuki Rydla; każda ⌐ nich mówi właściwym sobie językiem i z zachowaniem stylu.
*w. 22*
[*E x c u s e z - m o i* (fr.) – proszę mi wybaczyć.]

*w. 28*
[*M o i j e c o m b i n e* (fr.) – ja właśnie kombinuję.]
*str. 246, w. 3*
[*J e n'e n p e u x p l u s!* (fr.) – nie zniosę tego dłużej!]
*w. 4*
[*E t v o u s a u s s i* (fr.) – i pan także.]
*w. 7–8*
[*M a i s q u'e s t c e d o n c* (fr.) – Ale cóż to takiego!]
*w. 8*
Aber was ist denn doch mit dem alten Trottel!(niem.)
– Ale cóż tam znowu z tym starym durniem!
*w. 10*
*M e s s i e u r s, f a i t e s v o s j e u x! E t v o u s, e s p è c e d e v i e u x*
*b o n h o m m e, c i r c u l e z! (fr.)* – Panowie, grajcie dalej. A pan się wynoś,
poczciwy staruszku!
*w. 18*
[*T o u j o u r s c e t t e...* (fr.) – wciąż ta...]
*str. 247, w.5*
Palić się do własnych butów – wyrażenie karciane, oznaczające upieranie się przeciw złej szansie.
*w. 9*
[*M a i s, m o n o n c l e* (fr.) – ależ, mój wuju.]
*w. 10*
[*L a i s s e z c h a c u n* (fr.) – pozwól każdemu.]
*w. 22*
[*C e v i e u x* (fr.) – ten stary.]
*str. 248, w. 4*
Gust – od czasownika gustować.
*w. 27*
[*M a f o i!* (fr.) – dalibóg! Słowo daję!]
*str. 249, w. 11*
[*A h, m o n D i e u!* (fr.) – Ach, mój Boże!]
*w. 16*
[*T o u t c o m p r e n d r e, c'e s t t o u t p a r d o n n e r* (fr.) – Wszystko
zrozumieć to wszystko przebaczyć.]
*w. 22*
Bić własne pieniądze – palić się do własnych butów.
*str. 251, w. 20*
Verflucht... alter (niem.) – psiakrew... stary.]
*w. 21*
[Wenn's weiter geht (niem.) – jeśli tak dalej pójdzie.]

*w. 22*

[G a n z e s... d o c h m a c h t n i c h t s (niem.) – całe... ale mniejsza o to.]

*w. 23*

[...s o n s t w i r d's z u s p ä t (niem.) – inaczej będzie za późno.]

*w. 24*

[A l s o (niem.) – więc.]

*w. 25*

[H u n d e r t M i l l i o n e n, l e t z t e s W o r t (niem.) – sto milionów, ostatnie słowo.]

*w. 26*

[M e i n w e r d e n... (niem.) – moimi będą...]

*w. 27*

[...f o r t! (niem.) – precz!]

*w. 28*

[K a n n D r a m e n s c h r e i b e n... (niem.) – może sobie pisać dramaty...]

*w. 29*

[N i c h t g r o s s e r... (niem.) – niewielki...]

*w. 32*

[N a, w e l c h e r h a t e i n... (niem.) – no, któryż ma...]

*str. 252, w. 1*

[W a s h a t e r o b e r t F r i e d r i c h W i e l k i (niem.) – co zdobył Fryderyk Wielki.]

*w. 6*

[N u n, w a s i s t's (niem.) – no, cóż tam?]

*w. 8*

[H e u t e (niem.) – dziś.]

*w. 11*

[E n d l i c h, g u t! (niem.) – nareszcie, dobrze!]

*w. 12*

[H i n a u s j e t z t (niem.) – wyrzucić teraz.]

*w. 13*

[P o l a k e n b a n d e... S i e, m e i n H u t (niem.) – bandę Polaków... Panie, mój kapelusz!]

*w. 18*

[J e t z t f r i s c h a n s W e r k! (niem.) – Teraz raźnie do roboty!]


Z TRYUMFALNYCH DNI ŚP. «POLSKIEGO KABARETU»


*str. 254, w. 8*

[„S p ó j n i a" – galicyjska organizacja studencka związana z SDKPiL.]

w. 14

Potrójny kabaretowy oklask, przejęty z paryskich *Triple ban.*

*str. 255, w. 2*

J e d n ą z t y c h „w e s o ł y c h j a m"... – Wzorki przeważnie zebrane z warszawskiego „Momusa".

*str. 256, w. 11*

[*C l o u* (fr.) – gwóźdź, najlepszy numer programu.]

*str. 257, w. 31*

L i r y c z n y t e n o r – Alfred Lubelski.

*str. 258, w.15*

[B e r ż e r e t a (fr.) – pastorałka.]

w. 19

[*À la W e c k e r l i n* – na wzór Weckerlina (1821–1910), francuskiego kompozytora humorystycznych oper i zbieracza starych melodii.]

w. 25

[*M a r g a r e t e, M ä d c h e n o h n e g l e i c h e n* (niem.) – Małgorzato, dziewczyno niezrównana.]

*str. 260, w. 30*

[Leon S c h i l l e r (1887–1954) – jako młodziutki student śpiewał piosenki w „Zielonym Baloniku".]

*str. 262, w. 14–15*

[*G a s s e n h a u e r* (niem.) – śpiewka uliczna.]


ODSIECZ WIEDNIA

*str. 268, w. 12*

[Ignacy R a j a l – właściciel dużego sklepu meblarskiego w Krakowie przy ul. Wiślnej.]

*str. 272, w. 32*

[*Q u e l l e h o r r e u r! Q u e l l e l a n g u e e x é c r a b l e! M a i s c'e s t u n e b r u t e q u e c e G o r k a! A s s e z!* (fr.) – Co za okropność! Co za szkaradny język! Ależ ten Górka to grubianin! Dosyć!]

*str. 276, w. 12, 13 i 20*

[D e P e r i e r J o u e t – Boy dla żartu daje rodowi nuncjusza nazwę znanych win szampańskich. B r u t i E x t r a - D r y to gatunki szampana.]

*str. 277, w. 3–4*

[...p a n n a d e B a r s a c c z y t e ż d e H a u t - S a u t e r n e s... – ten sam dowcip, nazwy win francuskich.]

w. 16

[*C h a r m e u r* (fr.) – czarujący kawaler.]

*str. 278, w. 25*

[*I d é e f i x e* (fr.) – tu: upór.]

*str. 280, w. 26*

[Walenty  S t a n i s z e w s k i  i Zygmunt  K o w a l s k i  – dyrektorowie ówczesnej Kasy Oszczędności miasta Krakowa przy ulicy Szpitalnej 15.]

*str. 281, w. 4*

[Marceli  P o p i e l e c k i  – rewident rachunkowy, jeden z ważniejszych urzędników Kasy Oszczędności.]

*w. 10*

[C h o ć  p r z y w i l e j  k u r i i  t r z a s ł – po wprowadzeniu powszechnego głosowania w Austrii w grudniu 1906 r. Dotychczasowa ordynacja wyborcza, dzieląca wyborców na pięć kategorii, czyli tzw. kurii, oparta była na nierównościach społecznych i rażącym uprzywilejowaniu klas posiadających.]

PIEŚŃ O DWÓCH IGNACACH

*str. 281, w. 15 (tytuł)*

[P i e ś ń  o  d w ó c h  I g n a c a c h – Ignacy Daszyński i Ignacy Petelenz. Dr I. Petelenz (1860–1911) – pedagog, od roku 1901 poseł do Rady Państwa w Wiedniu.]

*str. 282, w. 14*

[Emil  H a e c k e r  (1875–1934) – publicysta, dziennikarz, od roku 1892 współpracownik, a później redaktor naczelny socjalistycznego „Naprzodu"; wydał m. in. «Trybunę Ludów» Adama Mickiewicza.]

*w. 27*

[P a n  d y r e k t o r  i n s t y t u c j i – Petelenz był dyrektorem gimnazjum w Krakowie.]

W ZAKLĘTY DUCHA ŚWIAT...

*str. 284, w. 11*

[M r o k i  g w i a z d – aluzja do wiersza Tadeusza Micińskiego.]

«TRUDNO INACZEJ...»

*str. 285, w. 16*

[P a n  Ż e r o m s k i  o p i s a ł  t ę  s p r a w ę... – w *Dziejach grzechu.*]

*str. 287, w. 1 (tytuł)*

Piosenka ta napisana była dla warszawskiego kabaretu artystycznego „Momus", prowadzonego przez Arnolda Szyfmana. Stylizacja tytułu naśladuje pierwsze manifesty futurystyczne.]

[Aleksander R a j c h m a n – dyrektor Filharmonii Warszawskiej. (Zob. w *Słówkach Pieśń o naszych stolicach.*)]

*str. 288, w. 14*

[R a u t y   m i s t y c z n e – zob. przypis Boya do *Pieśni o naszych stolicach.*]

*str. 289, w. 26*

[Z   w o l n a   s p u s z c z a   s i ę...– do Warszawy przybył wtedy Blériot i na Polu Mokotowskim odbyły się pierwsze loty aeroplanem.]

*str. 292 w. 12*

[Stefan K r z y w o s z e w s k i – zob. przypis do wiersza *Zur Hebung des Fremdenverkehrs.]*

*w. 19*

[W o l f f   i   G e b e t h n e r – znani wydawcy warszawscy.]

*w. 23*

[O b a   K e m p n e r y – dwaj bracia Kempnerowie, Stanisław i Gabriel, dziennikarze i po trochu literaci.]

POBUDKA GRUNWALDZKA

*str. 293, w. 13*

[Władysław T u r s k i – długoletni prezes towarzystwa gimnastycznego „Sokół" w Krakowie.]

KILKA SŁÓW O PIOSENCE

*str. 297, w. 7–8 (motto)*

[*„S o k r a t e s, w a r u m t r e i b s t d u k e i n e M u s i k ?...*" – cytat z *Narodzin tragedii* Fryderyka Nietzschego: „Sokratesie, dlaczego nie uprawiasz muzyki?"]

*w. 13–15*

[*M o i   j' a i m e   l a   f e m m e   à   l a   f o l i e* (fr.) – Kocham kobietę do szaleństwa.]

*str. 298, w. 28*

[*G e n r e* (fr.) – rodzaj, gatunek literacki.]

*str. 299, w. 6*
[Jehan R i c t u s – poeta francuski, zob. o nim szkic Boya *Villon w cylindrze* w tomie *Znaszli ten kraj?... i inne wspomnienia.*]
*w. 7*
[*C h a n s o n  d'. a c t u. a l i t é* (fr.) – piosenka aktualna.]
*w. 7*
[*C h a n s o n  r o s s e* (fr.) – piosenka prostacka.]
*w. 18*
[*Q u a s i* (łac.) – niby, rzekomo.]
*w. 36 – str. 300, w.1*
[*E n g u e u l e  l e  g o u v e r n e m e n t* (fr.) – wymyśla na rząd.]
*w. 17–18*
[*U n  j e u n e  h o m m e  v e n a i t  d e  s e  p e n d r e  d a n s  l a  f o r ê t  S a i n t - G e r m a i n* (fr.) – młody człowiek powiesił się przed chwilą w lasku Saint-Germain.]

[GDY KTO KUPI SOBIE PLACYK...]

*str. 301, w. 5 (tytuł)*
[Napisane z okazji pobytu Stanisława Gabriela Żeleńskiego (brata Boya), właściciela Krakowskiego Zakładu Witrażów, w Ameryce w roku 1909 lub w latach 1912–1913. Stanisław Żeleński jeździł tam dla uzyskania zamówień na witraże wśród Polonii amerykańskiej.]

PIEŚŃ O STU KORONACH

*str. 303, w. 4*
b l a t (niem.) – żartobl. : złoty reński.
*str. 304, w. 16*
s y  g i t (żarg.) – w porządku, dobrze.

KASZTELAN LUDWIK SOLSKI

*str. 308, w. 1 (tytuł)*
[Tekst piosenki jest parodią *Kanzony Dyla Sowizdrzała* Adolfa Nowaczyńskiego. Opiewa ona losy krótkotrwałego teatrzyku kabaretowo-estradowego „Figliki", założonego przez Arnolda Szyfmana (Sowizdrzał) w Krakowie w roku 1906.]

*w. 6*

S t r o i  h o t e l – Przedstawienia „Figlików" odbywały się w sali Hotelu Saskiego (gmach przy ul. Św. Jana).

*w. 15*

M a ł ż o n k i  s w e j  w d z i ę k i – Ireny Solskiej, znakomitej artystki scenicznej.

*w. 20*

B u r k h a r d y – Burghard, wiedeńska firma dostarczająca teatrowi im. Słowackiego gotowych dekoracji.

*w. 21*

S p i t z i a r – Jan Spitziar, dekorator teatralny za dyrekcji Kotarbińskiego, Pawlikowskiego i Solskiego w Krakowie.

*str. 309, w. 10*

B u c h n e r t – Georg Büchner (1813–1837), awangardowy pisarz sceniczny doby romantyzmu; P e r z y ń s k i Włodzimierz (1878–1920), powieściopisarz polski i autor sceniczny (komedie obyczajowe); N e u w e r t Nowaczyński Adolf (1876–1944), główny współpracownik literacki „Figlików"; C a i l l a v e t Gaston de (1869–1915), dramaturg francuski, komediopisarz (satyra obyczajowa), piszący zazwyczaj wspólnie z Robertem

*w. 12*

F l e r s e m (1872–1927). Flers był również autorem wodewilów. Jednoaktówki obu pisarzy były w „Figlikach".


[KIEDY PO PROSTU OKRĘCI O GŁOWĘ]


*str. 310, w. 20*

E r d g e i s t (niem.) – gnom, duch ziemny.

*w. 21*

K a m a s u t r a – indyjski *Podręcznik miłości,* dzieło poety Watsjajany Mallanagi (ok. poł. 1. tysiąclecia n.e.).

*Zbiór wierszy o treści ironiczno-żartobliwej Tadeusza Boya-Żeleńskiego (1874–1941), pisanych od 1907 r., wydanych po raz pierwszy pod wspólnym tytułem* Słówka *w 1913 r., był pierwszą książką tego wielostronnego pisarza, który zasłużył się przyswojeniem literaturze polskiej stu kilkunastu przetłumaczonych i zinterpretowanych tomów literatury francuskiej oraz wsławił się pasją społecznika-polemisty zwalczającego w felietonach i książkach wszelkie zakłamanie w życiu, obyczajach, a nawet w ocenach historii i historii literatury.*

Słówka – *zbiór ulotnych wierszyków osobistych, kupletów i piosenek, pisanych przeważnie dla krakowskiego kabaretu „Zielony Balonik" – stanowią punkt zwrotny w karierze autora, dotychczasowego lekarza i asystenta kliniki szykującego się do docentury. Tworzone jeszcze trochę nieoficjalnie pod pseudonimem „Boy", nasycone doświadczeniami artystycznej piosenki francuskiej (świeży pobyt Boya w Paryżu), przeniknięte duchem optymistycznego racjonalizmu, zdolne ukazać w krzywym zwierciadle karykatury mnóstwo tematów naraz, wyzwoliły w Żeleńskim – jak sam to wyznał – powołanie pisarskie.*

*Wierszyki były produktem stosunków krakowskich, charakteryzujących się ówcześnie wpływami konserwy klerykalno-arystokratycznej i zarazem burzliwym naporem młodopolskiej „moderny" spod znaku Przybyszewskiego. Były z jednej strony objawem przezwyciężenia dostojnej celebry krakowskiej szkoły myślenia, z drugiej zaś – patosu, wielo- i* pustosłowia młodopolskiego, podając z wdziękiem i swobodą *(naówczas dość frywolną)* tematy uznawane dotąd za „tabu". *Czyniły to z przyprawą humoru zabarwionego ironią jakby Heinowską, żartobliwym liryzmem, ale i z dosadnością trochę staropolską, rodem z Kochanowskiego i Potockiego.* Przezwyciężenie „moderny" nie było całkowite. *Boy sam przecież przeszedł szkołę cyganerii Przybyszewskiego (więcej co prawda jako jej uczestnik „życiowy" niż literacki), nim sfraternizował się z następną – cyganerią malarską, od której wyszedł właśnie pomysł ofensywy śmiechu na drętwą rzeczywistość galicyjską. Przeto ostrze ironii* Słówek *wobec przyjaciół z kręgów sztuki i dziennikarstwa jest o wiele łagodniejsze niż ukłucia satyryczne wymierzone w stronę stańczykowskiej konserwy naukowej i literackiej ówczesnego Krakowa, niż, zwłaszcza, zatrute strzały wypuszczone ku ośmieszeniu mieszczańskiego filisterstwa i wszelkiego obyczajowego załgania. Dlatego słuszna wydaje się opinia, iż on pierwszy tak wcześnie „odkrył dulszczyznę w młodopolszczyźnie i młodopolszczyznę w saloniku Dulskich".*

Słówka, *tak silnie związane w warstwie szopkowej i „zielonobalonikowej" z niepowtarzalnym momentem wykonania, a więc z estradą, widownią, muzyką, imitacją głosową i akcesoriami – nie zatraciły przecież z upływem czasu aktualności. Ulotne powiedzonka, „złote myśli", cięte puenty i całe strofki Boyowskie (zwłaszcza te obyczajowe) służą i obecnie niejednej sytuacji życiowej, co jest najlepszym dowodem trwałości tego gatunku literackiego, któremu na imię – satyra.*

Roman Hennel

# Spis rzeczy

SŁOŃCE JESIENNE (TRYPTYK)

Z MOJEGO DZIENNICZKA

Projekt okładki
Lech Przybylski
Redaktor
Roman Hennel
Printed in Poland
Wydawnictwo Literackie, Kraków 1987
Wydanie X. Nakład 240.000 + 350 egz.
Ark. wyd. 17,2. Ark. druk 23
Papier offset kl. III — 70 g rola 84 cm
z Zakładów Celulozowo-Papierniczych w Kwidzynie
Oddano do składania 11 X 1985
Podpisano do druku w lutym 1987
Druk ukończono w sierpniu 1987
Zam. nr 1698/85 A-11-108
Zakłady Graficzne w Gdańsku
Gdańsk, ul. Trzy Lipy 3